目次

レオナルド・ダ・ヴィンチ

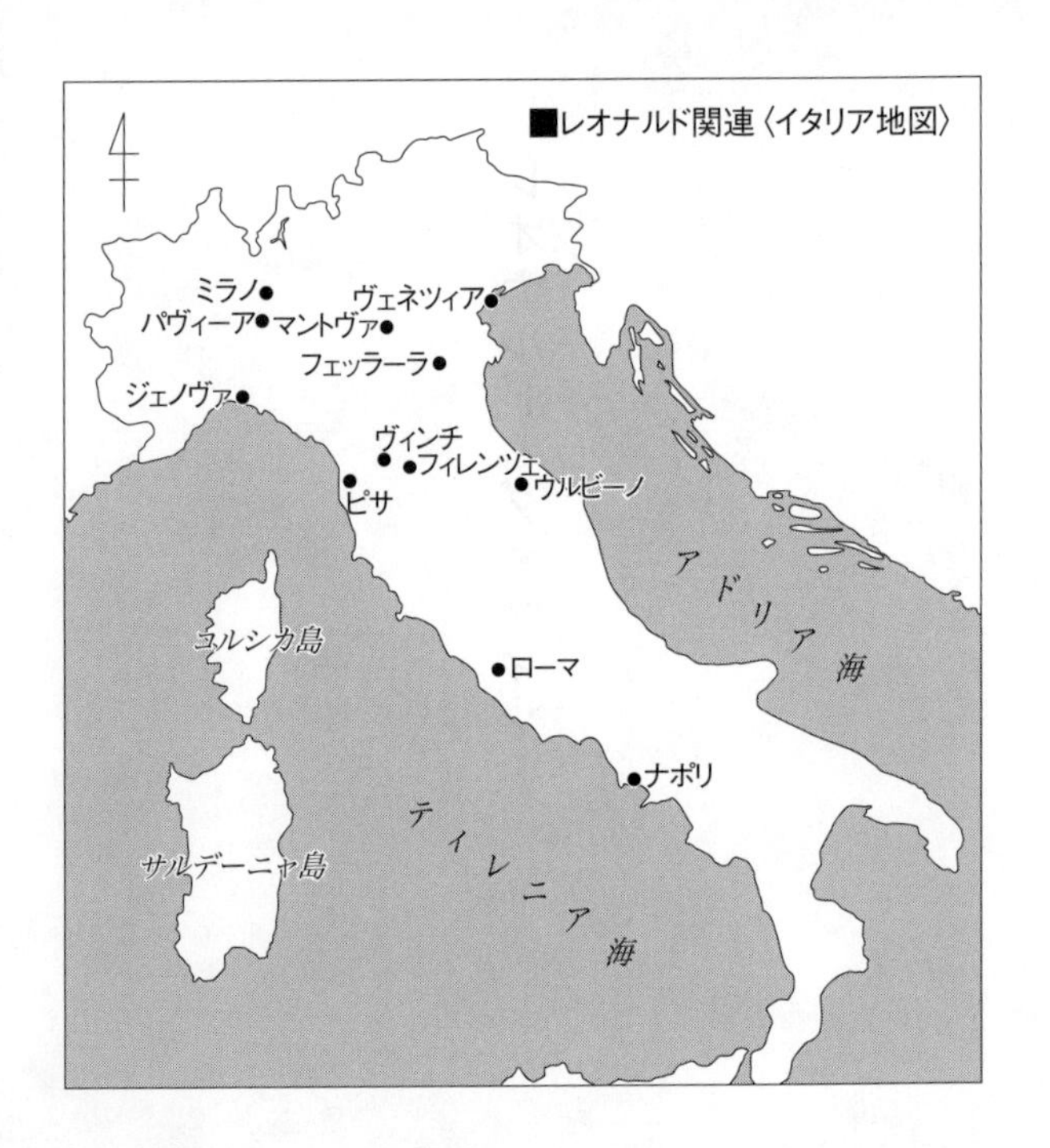
■レオナルド関連〈イタリア地図〉
ミラノ
パヴィーア
マントヴァ
ヴェネツィア
フェッラーラ
ジェノヴァ
ヴィンチ
フィレンツェ
ウルビーノ
ピサ
コルシカ島
アドリア海
ローマ
ナポリ
ティレニア海
サルデーニャ島

序章　神格化されたレオナルド

レオナルドは「万能の天才」か

レオナルド・ダ・ヴィンチといえば「万能の天才」として広く知られており、誰もがそう信じて疑わないだろう。だがはたして本当にそうなのだろうか。一四五二年、すなわち今から約五五〇年前にフィレンツェ近郊のヴィンチ村に私生児として生まれたレオナルドは、フィレンツェで絵画および種々の技術に関する修業を積み、二〇代を同地で過ごしたのち、ミラノに移住してスフォルツァ家の宮廷画家として活躍した。当時イタリアはいくつもの都市国家に分かれており、レオナルドはいわば故国を捨てて新興国家に禄（ろく）を求めたわけである。そして同地で彼は四〇代半ばに《最後の晩餐》を制作して絶大な名声を博した。だが一四九九年にフランス軍の侵攻によってミラノを追われてフィレンツェに戻り、ここでさらにあの《モナ・リザ》に着手した。しかし当時から多才ぶりで知られ、建築土木や軍事など種々の事業に携わったとされるレオナルドは、多才ゆえに画業に専念することもままならなかったらしく、晩年はフランス国王フランソワ一世に招かれてアンボワーズの館で静かな余生を過ごし、一五一九年に六七歳の生涯を閉じた。

その後しばらく彼の存在は、《最後の晩餐》がカビや汚れに埋もれてその真価が覆い隠されていったのと同調するかのように、過去の歴史の中にかすんでいった。しかし一九世紀にいたり、新古典主義の思潮の中でこの壁画が古典絵画の手本として再評価されると、レオナルドの存在は再び世界的な注目を集めるようになった。

だが、そもそもレオナルドはいつ頃から、なにを根拠に万能の天才と呼ばれるようになったのだろうか。

ヴァザーリの評伝

レオナルドの生涯に関する最初のまとまった証言は、その死後約半世紀のちにジョルジョ・ヴァザーリによって書かれた『美術家列伝』（一五五〇年初版、一五六八年改訂版）中にある「レオナルド伝」の章である。これを読んでみると、ヴァザーリは彼のことを評して、「偉大な才能というものは天から人に与えられると言うが、たいていは常識の域を出るほどのものではない。しかし時にそれをはるかに超えて与えられることがあり、同一の人物が、美と優雅さと徳を一身に備え、その行いは神に通じ、万人に抜きん出て」いるという類まれな場合があり、「レオナルド・ダ・ヴィンチがまさしくその例である」と賛美している。続いて「彼はこのうえなく容姿端麗で、その一挙一動には優美さがあふれ、またその豊かな才能はいかなる難題も易々と解決しうるほどで、頑健な身体に恵まれたうえに、手先も器用で、彼の精神は王者の風格と度量の大きさを備えていた」と伝えている。

　だがヴァザーリは、レオナルドのことをたしかに天賦の才を備えた人であると言っているものの、「万能の天才」とは言っていない。ここでヴァザーリの言う天賦の才とは「才色兼備」という程度の意味であり、要するに身体と精神の両面にわたり並外れて恵まれた人物だと言っているのであり、「万能」という点に関しては、いかなる問題も解決したとか、あるいは手先が器用だったという程度の抽象的な言い方しかしていない。もっとも、ヴァザーリは「レオナルド伝」中でレオナルドが種々の機械類を考案したり、彫刻や建築の分野も手掛けた点についても言及している。しかし彼は、それらの仕事が結局、構想段階で終わっているか、または実現不可能な空想もしくは理想に終始しているといった厳しい見方をしている。そして実のところ絵画・彫刻・建築という三大芸術をものした万能の人という評価をヴァザーリが与えているのは、レオナルドではなく、むしろ自身の師であったミケランジェロに対してなのである。

　たしかにレオナルドと相性の悪いミケランジェロの弟子だったヴァザーリとしては、レオナルドよりも自分の師匠を高く評価したいのも自然な心理かもしれない。だが、そこにはやはり、現実に絵画・彫刻・建築の作品を制作し、その芸術的水準はもとより、作品数においても並外れた量をこなした人物に対する正の評価と、大半が構想もしくは計画の段階にとどまり、未完成に終わった人物に対する負の評価という違いがあったのである。ヴァザーリは、レオナルドの才能を認めていたものの、それが実現されたかどうか、すなわち才能が実績によって裏打ちされているか否かという点を重視したのだろう。そしてそれは当時の社会的な評価だったのであり、ヴァザーリはそれを代弁していたにほかならない。

三大芸術に秀でた同時代の芸術家

レオナルドよりも二三歳若いミケランジェロは、彫刻家として出発し、すでに二〇代に二体の大理石像、すなわちサン・ピエトロ大聖堂の《ピエタ》とフィレンツェの《ダヴィデ》を制作して新進気鋭の彫刻家として注目され、三〇代にはシスティーナ礼拝堂天井画を独力で制作して画家としても確固たる評価と地位を獲得し、建築家としては軍事要塞(ようさい)の建設に携わり、さらにサン・ピエトロ大聖堂のクーポラを設計した。そして六〇代に入ってシスティーナ礼拝堂の祭壇壁面に《最終審判》を描くなど、超人的な活動をし、また詩人としても知られた。ミケランジェロは実際にそれらの分野で作品を完成させているのである。

これに対しレオナルドは、彫刻や建築の計画に携わったものの、実際にそれらを制作したことはない。彫刻作品としては、《スフォルツァ騎馬像》という超大作のプロジェクトに着手したが、主として当時の社会状況の悪化から中断させられた。建築についてはさまざまなメモや構想図を残しているが、実際に建てられたものはない。したがって、まず第一に彼は一人の画家だったのである。ところが奇妙なことに彼は絵画作品ですら九点ほどしか残していないし、しかもその大半が未完成である。完成作と呼べるものは二〇代の作品《受胎告知》（ウフィツィ美術館）、ミラノ着任早々に制作した《岩窟の聖母》（ルーヴル美術館）、そして壮年期の代表作《最後の晩餐》くらいのもので、円熟期から晩年に属する《聖アンナと聖母子》、《モナ・リザ》および《洗礼者聖ヨハネ》（三点ともルーヴル美術館）は、いずれも未完成のまま遺品として残されたものである。絵画・彫刻・建築という三大芸術に秀でていたといわれるものの、レオナルドの名声は、彼の死後かろうじて《最後の晩餐》によって支えられていたのである。

ここでもう一人、三大芸術に秀でていた芸術家を挙げることができる。ラファエロ・サンツィオである。彼は一四八三年に生まれているので、レオナルドより三一歳年少である。ウルビーノの宮廷画家の子として生まれた彼は、幼少期に父を亡くしたあと、もともとフィレンツェで修業した画家ペルジーノに師事して早くから才能を発揮し、すでに一〇代後半から画家として活動を始めた。二〇代にフィレンツェにやってくると、レオナルドから手厚い指導を得て急速に画家として成長した。そしてフィレンツェで精力的に聖母子画や肖像画を手掛けて高い評価を得たラファエロは、二六歳の若さでヴァティカンに招かれ、《アテナイの学堂》に代表される「教皇の間」の壁画連作を制作することになる。そしてその際にミケランジェロの人物表現を吸収し、ルネサンス絵画の集大成ともいうべき古典様式を確立した。彼は彫刻作品こそ制作していないが、建築の設計を手掛け、夭折するまでの短期間ではあるがサン・ピエトロ大聖堂の建築主任をも務めた。

ヴァザーリはレオナルドを含め、しばしば画家たちがいかに早熟で、幼少期から才能を開花させ、その神童ぶりを発揮したかについて語っているが、実のところレオナルドは《最後の晩餐》以前にはさほど画家として有名だったわけではない。その意味ではむしろミケランジェロやラファエロこそ早熟の天才であり、多方面で大活躍をしてすでに同時代の人々から賞賛されていたのである。

レオナルド研究でもたらされた神格化

したがってレオナルドの同時代はもとより、ヴァザーリの時代およびそれ以降も、レオナルドが万能の天才という名声を誇っていたわけではない。レオナルドが「万能の天才」として知られるようになるのは、一九世紀末から本格的なレオナルド研究が始まって以降のことである。二〇世紀に入るとレオナルド研究は目を瞠る(みは)ほど進歩し、彼の生涯の知的活動の詳細がつぎつぎに明らかにされてきた。それは彼が残した膨大な手稿や素描、スケッチなどが学術的に注目されてからのことである。それらの手稿には芸術に関する記述や素描はもとより、種々の科学分野に関する研究ノート、メモ、そして発明のアイディアやスケッチの類がびっしりと書き込まれていた。

多才な画家という程度にしか認識されていなかったレオナルドが、じつはおよそ一人の人間が一生の間にこれほどの知的遺産を残せるとは信じがたいほど広範囲にわたる研究ノートを残していたことが明らかとなったことにより、当時の科学水準をはるかに上回るような独創的な研究やアイディアをレオナルドがもっていたという評価がなされた。こうして彼は「万能の天才」、そして近代科学の知られざる先駆けとして再認識されることになったのである。しかしその一方で、レオナルドの天才ぶりが一人歩きし、著しく伝説化、神格化されて、かえって彼の素顔がつかめなくなってしまった感がある。

ところが、近年さらに研究が進むにつれ、一見レオナルドのオリジナルのアイディアだと思われていたものが、じつは先達のアイディアを引き合いにしたものであったり、当時のエンジニアあるいは発明家に類する他の人物がすでにそれに似たアイディアを提唱しているなど、手稿に記された内容がかならずしもレオナルドの独創性を証明するものでもないという例が見つかることになってきた。たとえばレオナルドは一種の自動車のスケッチを残しているが、そうしたアイディアの原型はすでに一四世紀に現れていて、そのスケッチも現存している。またレオナルドは傘のような形状のパラシュートを使って高所から降下するアイディアや、水上歩行器、パイプから空気を送る潜水具といった発明をしているが、それらは彼よりもやや年長のシエナ出身の画家・彫刻家・建築家・技師フランチェスコ・ディ・ジョルジョ・マルティーニ（一四三九―一五〇一年）によってほぼ同じタイプの道具が発明されていたらしいことも、やはり現存するスケッチの発見などから明らかになっている。しかもこの人物はミラノに赴いて大聖堂のクーポラを設計しており、その際にレオナルドは彼に接触しているのである。このような事実がしだいに明らかにされるにしたがって、レオナルドの手稿に記されているからといって、それがレオナルド自身の発想によるものか否かを疑ってみなければならないという事態となってきた。

レオナルドはなにをしてきたか

とはいえ、冒頭で述べたように、私はレオナルドから万能の天才という称号を剝ぎ取るべきだと主張するのではない。そうではなく、むしろ万能の天才という称号ゆえに、またヴァザーリの美辞麗句ゆえに、まるでレオナルドがなにごとも難なくやり遂げたかのような錯覚に陥ることを避けたいのである。生前のレオナルドは、決してその天才ぶりを遺憾なく発揮して富と名声をほしいままにしていたわけではなかった。というよりもむしろ彼の才能は十分に発揮されず、周囲に認められないまま埋もれてしまったのである。

しかしまたそうした彼を簡単に「孤高の天才」と言って片付けたくはない。実際には彼は宮廷画家として、あるいは種々の催事に関わったデザイナーとして、また軍事・土木その他の計画に携わった技師として活動していたわけであり、その意味ではたしかに多方面で活動していたのである。しかしレオナルドを含む当時の画家や彫刻家はいまだ職人の身分にあり、今日の芸術家や科学者とは社会的性格や地位がかなり異なる。では、レオナルドは当時どのような活動をしていたのか。ぜひともそれを実感したいものである。それにレオナルドといえども、種々の問題に頭を悩まし、挫折を味わい、ときには窮地に立たされた。じつに人間臭い、そして苦い経験をしてきているのである。したがって私は、エリート芸術家の順風満帆の英雄伝ではなく、むしろ彼の挫折と苦悩の人生について考えたい。現場のレオナルド、素顔のレオナルドに迫ることで、天才芸術家といわれる一人の人間の創造の秘密を理解することができるはずである。それを期待してレオナルドの生きざまを、生身のレオナルドを知ろうとするのが本書の目的である。そしてそれはおそらく私たち現代人にもかならずや有益なヒントと勇気を与えてくれるだろう。

第一章　フレスコ画を描かない画家

レオナルドは謎と矛盾に満ちた芸術家である。ヴィンチ村での生い立ちを含めて、芸術家としての出発点であるフィレンツェでの下積み時代にレオナルドがいったいどのような生活をしていたのか、ほとんど知られていない。それは確たる記録がないからで、せいぜいジョルジョ・ヴァザーリの『美術家列伝』(一五五〇年初版、一五六八年改訂版)に収められた「レオナルド伝」しか拠り所がないというのが現状である。しかし、レオナルドの死後わずか三、四十年しか経っていないにもかかわらず、この伝記の中で若きレオナルドの姿はすでに伝説的に語られている。レオナルドはまさしく神童で、早熟な才能を発揮しては周囲を驚かせたというのである。

しかし彼が、少年期からすでに早熟な才能を発揮していたことを示す記録はない。それどころか、そもそも徒弟としてフィレンツェのヴェロッキオ工房に入った一〇代半ばから二〇代末までの十数年間には、評判になるような作品を残しておらず、最終的にはあまりパッとしないままミラノに転居するのである。いったい青年期の彼はなにをしていたのだろうか。

もっとも、フィレンツェ時代のレオナルドについて考える場合、確たる記録に乏しく、レオナルド研究の大家だったケネス・クラークも言ったように（一九三九年）、かなりの部分を憶測あるいは推理してみるほかはない。そこで状況証拠に頼らざるをえないという現実に立ち、まずは若き日のレオナルドについて見てみたい。

一　システィーナ礼拝堂の壁画に参加しなかったレオナルド

一四八一年一〇月二七日、教皇シクストゥス四世は、ヴァティカン宮内のシスティーナ礼拝堂壁面装飾のため、フィレンツェから数名の画家をローマに招聘(しょうへい)した。メンバーはサンドロ・ボッティチェッリ（一四四五―一五一〇年）、ドメニコ・ギルランダイオ（一四四九―九四年）、ピエトロ・ペルジーノ（一四四五頃―一五二三年）、コジモ・ロッセッリ（一四三九―一五〇七年）、ルカ・シニョレッリ（一四四五―一五二三年）ら、いずれも当時フィレンツェで活動していた若手の画家たちで、それぞれ大勢の助手を引き連れてローマに赴いた。

このグループのなかにレオナルドはいなかった。なぜ、当時二九歳ですでに一人前の画家としてフィレンツェで活動していたレオナルドがこの大プロジェクトに参加しなかったのか、あるいは参加できなかったのか。それはレオナルド研究者たちにとって一つの疑問になっている。このあたりの事情については記録や証言がないため、まったく分からないのが現状ではあるが、レオナルドの初期の様子について考えるとき、どうしてもこの問題が気になるところである。そこにはおそらく若き日のレオナルドの活動を規定するなんらかの要因が潜んでいるはずである。そこで彼のローマ行きを阻んだ要因について考えてみたい。

プロジェクト不参加は世代の違いからか、先約があったからか

当時、ボッティチェッリはレオナルドよりも七つ年上の三六歳で、この壁面装飾の事業に参画したほかの画家たちもボッティチェッリとほぼ同世代である。だとすればレオナルドは世代の違いから先輩たちの仲間に加わる資格がなかったとも考えられる。

だが、この事業に参加した画家たちが、それぞれ助手として知己の画家たちを従えてローマ入りしたことを考えると、レオナルドがそのような形で参加してもよかったはずである。とくにボッティチェッリは、もともとフィリッポ・リッピ（一四〇六頃―六九年）の弟子だったとはいえ、師の没後はヴェロッキオ工房に入って修業を続け、レオナルドより七歳年長ではあったが、同じ年に画家組合に登録されている。つまりボッティチェッリとレオナルドはいわば同門であり、かつ形式的には同輩なのである。

もっとも、実際のキャリアはボッティチェッリのほうが上であり、ヴェロッキオのもとで修業していた頃からすでに画家として活動を始めていたため、レオナルドとは格が違っていた。ではせめて先輩として、後輩のレオナルドを助手としてこの仕事に参加させてもよかったはずである。それにボッティチェッリより経験の浅い後輩とはいえ、レオナルドはあの《キリストの洗礼》（一四七二—七三年頃、ウフィツィ美術館）の左端の天使を描いて、師ヴェロッキオに絵筆を捨てさせたとヴァザーリが伝えるほど優秀な弟子だったはずである。となると、レオナルドがローマに行かなかったのには、ほかにもなにか理由があったのだろうか。

じつはレオナルドは、ボッティチェッリらがローマに行くことになる七ヵ月前の一四八一年三月に、フィレンツェの町外れにあるサン・ドナート・ア・スコペート修道院からすでに祭壇画の依頼を受けていた。現在ウフィツィ美術館に収蔵される《東方三博士の礼拝》がその作品とされており、縦二メートル四三センチ、横二メートル四六センチの板絵で、祭壇画としては立派な寸法である。ただし未完成、というよりまだデッサン状態にあり、彩色はほとんど進んでいない。

ならばこの仕事を延期してでも、システィーナ礼拝堂のほうに参加すればよかったはずである。ところがレオナルドは修道院側との契約によって厳しく拘束されていた。修道院の日誌一四八一年七月二五日の記載によれば、レオナルドはこの祭壇画を三月に請け負っている。その際の契約では、レオナルドは制作期間中に他のいかなる仕事も引き受けてはならず、そして二四ヵ月もしくは遅くとも三〇ヵ月以内にこれを完成させなければ、報酬の権利を失い、制作途中の作品も修道院側の意のままになるとされている。

　こうした厳しい条件が課せられた理由についてはこれまでに諸説あり、レオナルドが例によって移り気やむら気から制作を放棄しないようにするためであるとか、あるいはレオナルドには常識的な金銭感覚が欠けていたため現金を与えないよう配慮したとか、さらにそれはレオナルドの放蕩(ほうとう)な性格を知っていた父親の差し金ではないか、などと推測されてきた。

　たしかに父親のセル・ピエロは契約などを扱うプロの公証人であり、これ以前からレオナルドがなんらかの契約を結ぶ際には常に父親が介入していたとしても不自然ではない。レオナルドもこのときすでに二九歳であり、徒弟期間を終えて、一人前の職人として画家組合に登録して一〇年目に入ろうとしている。そろそろまとまった仕事をして画家として恥ずかしくない業績をあげてほしい頃である。野心家で、地位と名声と富を貪欲に求めるタイプの父親としては、私生児とはいえ、レオナルドが一角(ひとかど)の人物になってくれることを切に願っていたにちがいない。

　レオナルドとしては、ある意味で画家生命を賭けた大仕事である祭壇画制作をなんとしてもやり遂げなければならなかった。しかし彼がこの仕事に専念したのは、そうしたプレッシャーからだけでなく、彼自身この仕事に魅力を感じていたからでもあった。そのことはこの礼拝図のために彼が数多くの習作素描を残していることからも明らかである。

　ところが、スコペート修道院祭壇画の仕事に拘束されている間、レオナルドは別の仕事にも従事し、それもまた彼のローマ行きを阻んだと思われる。それは師ヴェロッキオの手伝いである。

一四七九年にヴェロッキオはヴェネツィア政府から《コッレオーニ騎馬像》の制作を委嘱された。彼は一年以上の歳月をかけて一四八一年七月には原型を完成させ、その後それをヴェネツィア政府に送っている。あとは自らヴェネツィアに赴き、現地でブロンズの鋳造を行うという段取りだった。そしてちょうどこの頃、《東方三博士の礼拝》の制作に携わっていたレオナルドが、礼拝図制作のかたわら師の騎馬像計画に助手として参加していた可能性については、多くの美術史家たちによってすでに指摘されるところである。

一四八一年九月二八日付の修道院の日誌によれば、制作は遅々として進んでいなかった。たしかにレオナルドはもともと極度の遅筆であり、あまりに用意周到すぎて、素描やスケッチを幾度も繰り返してなかなか板絵に取りかかろうとしない傾向がある。しかし九月の段階で制作がいっこうに進行していなかったのは、騎馬像の原型の完成や梱包・運送といった一連の追い込み作業にかり出されていたからではないだろうか。修道院側としてはこの時期、レオナルドに対して苦言の一つも呈したかもしれない。そのような状況で翌一〇月から今度はローマに行くなどと言い出せるはずもなかっただろう。

もっとも、レオナルドも師の仕事にしぶしぶ参加したわけではなく、むしろこの騎馬像制作に多大な関心を寄せていたのである。それは《東方三博士の礼拝》のための習作の中に数多くの馬の素描が含まれていること、そしてそれらとヴェロッキオの騎馬像との類似点が見られることなどからも明らかである。絵画だけでなく、彫刻や建築、機械工学にも関心を寄せていたレオナルドとしては、システィーナ礼拝堂の装飾やスコペート修道院の祭壇画などよりも、ブロンズの騎馬像制作という総合的な技術を要する仕事のほうに魅力を感じたのかもしれない。翌年にはミラノに行くことになるレオナルドだが、その際ミラノ領主ロドヴィーコ・スフォルツァ宛に綴った自薦状の中で、先代の領主フランチェスコ・スフォルツァの記念騎馬像制作計画に対して自ら強い売り込み姿勢を見せていることから判断しても、師ヴェロッキオの《コッレオーニ騎馬像》制作への参画はレオナルドにとってじつに有意義な体験だったのである。

フレスコ画を描かない画家

さて、レオナルドがローマのシスティーナ礼拝堂壁面装飾プロジェクトに参加しなかったことについては、もう一つの理由を考えてみたい。それはレオナルドがフレスコ画を描かない画家だったという点である。

システィーナ礼拝堂の壁面装飾はフレスコ画法で行われた。当時はまだキャンバスが使用されておらず、とくにイタリアでは油彩画法もあまり普及していなかったため、壁に絵を描くといえばフレスコ画法というのが常識だった。一六世紀半ばから一七世紀のルネサンス後期からバロック時代になると、大判のキャンバスに制作しておいてそれを壁面に張り付けるという手法がとられるようになるが、一五世紀の初期ルネサンスにおいては、壁画制作の際には壁面に直接彩色するフレスコ画法しかなかったのである。

ところが、レオナルドはフレスコ画を一点も手掛けていない。初期の作品はテンペラもしくは油彩との混合技法ばかりで、のちにレオナルドの名を不朽のものとした、あの《最後の晩餐》ですらテンペラ画法だった。イタリアの画家でありながら、まったくフレスコ画を描いていないレオナルドは、当時の常識では考えられない例外的な画家だったといえる。

あえてフレスコ画の制作を拒否したのか、それとも苦手だったのか。おそらくその両方だったろう。先輩のボッティチェッリはテンペラ画であろうとフレスコ画であろうと文句なしの仕事ができた。また、レオナルドより三歳ほど年長のドメニコ・ギルランダイオは、兄弟で工房を構え、とくにフレスコ画を得意としていた。ギルランダイオは一四八〇年にオニサンティ聖堂に《最後の晩餐》を制作しているが、これなどはフレスコ画の傑作である。そしてこの翌年にシスティーナ礼拝堂壁面装飾が始まるわけだが、当然ギルランダイオはヴァティカンに招かれることになった。

それにしても、いったいなぜレオナルドはフレスコ画を描かなかったのだろうか。その理由はおそらくレオナルド自身がフレスコ画を好まなかったからである。そしてそれは、レオナルド芸術の本質に関わることでもある。したがってこれについては、あらためて後述することになるが、その前に再度ここで彼がヴェロッキオに弟子入りした頃まで遡ってみたい。

というのも私は、ひょっとしたらレオナルドはそもそもヴェロッキオ工房であまりフレスコ画の修業を積まなかったのではないか、そしてさらに、レオナルドはほかの徒弟たちとはやや異なる修業の課程を踏んだのではないか、と推測するからである。

二　ヴェロッキオ工房で修業したこと、しなかったこと

いつ弟子入りしたか

レオナルドはフレスコ画を真剣に修得しようとしなかった、あるいはほとんど学ばなかったのではないか。私はそう推測している。そしてその理由の一つとして、レオナルドの徒弟期間が短かったことを挙げたい。

当時の一般的な慣習では、一四歳くらいで職人の工房に弟子入りし、二〇歳になって師匠の技術や様式を十分身につけたという見極めが得られると、親方すなわちマエストロ（英語でいうマスター）として画家組合に登録され、一人前の職人として仕事がとれるようになる。

レオナルドが二〇歳で画家組合に登録されていることは、記録から明らかである。となると問題は彼が何歳でヴェロッキオ工房入りしたのか。すなわち何歳から修業を始めたかだが、いま述べたように、当時の慣習からすれば一四歳時すなわち一四六六年ということにな

り、実際レオナルドがこの年に弟子入りしたというのがこれまでの通説となっていた。だがはたしてそうだろうか。

一四六八年に祖父アントニオが死去したため、ヴィンチ家はヴィンチ村の家を引き払って翌一四六九年にフィレンツェに移住し、そのとき当時一七歳のレオナルドも父と同居することになったことが、数少ない記録から分かっている。とすればレオナルドは、一六歳までは祖父母や叔父とともにヴィンチ村に住み、祖父の死による一家のフィレンツェ移住を契機にフィレンツェに出て、ヴェロッキオ工房に弟子入りしたと考えるのが妥当ではないか。

レオナルドの手稿研究で著名なカルロ・ペドレッティは、レオナルドが一七歳で弟子入りしたとする。また京都大学の斎藤泰弘氏もやはり一七歳頃としたうえで、わずか三、四年で修業を終えた早熟ぶりこそがレオナルドの異例なまでの才能であるとしている。私もレオナルドがかなり遅く画家の修業を始めたのではないかと推測している。ただし、一七歳時と断定する確信はない。やはり当時の慣習にしたがい、一四歳でヴェロッキオ工房入りしたのかもしれない。久保尋二氏は、一四歳で弟子入りしたレオナルドが当初の二年間をヴェロッキオ工房に住み込み、一家がフィレンツェに居を構えた一七歳時からは父親のもとに住んだのではないかと推測している。なるほどそうした推測も成り立つだろう。だが仮にそうだとしても、最初の二年間は工房に住み込んでいたという確証もないのが現状である。

下積みを飛び越えた弟子

私は、一四歳で弟子入りしたか一七歳であったかはともかく、いずれにしてもレオナルドがヴェロッキオ工房に住み込みで修業をした期間が短く、そのことがレオナルドという芸術家の形成に少なからぬ影響をおよぼしたものと推測している。本来であれば、それこそいまなら小学校を卒業したくらいの年頃で親もとを離れて弟子入りし、ほかの見習いや弟子、先輩たちとともに師の工房に住み込み、起床から就寝にいたるまで、職人となるべき基本をみっちり仕込まれたはずである。それも今日のような芸術教育ではなく、職人となるための心得や技術を体に叩き込まれたのである。最初は工房の掃除や道具の手入れなどを厳しくしつけられる。そう簡単には高価な絵筆や絵の具などは持たせてもらえない。当時はまだ紙は非常に高価なメディアであり、新入りは地面や床に石墨（せきぼく）のようなものや木炭などで描いたり、あるいはただの水を含ませた筆で壁に描くなどして、描いては消し、消してはまた描くといった要領で練習を繰り返した。

その一方で、見習いたちは絵の具を調合したり、粘土や石膏（せっこう）を捏（こ）ねたり、木の板を継ぎ合わせたり、壁に漆喰（しっくい）を塗ったりという、今日では絵画制作に直接関係のないような雑多な作業もさせられた。しかしそれらは決して単なる雑用ではなく、テンペラ画やフレスコ画を制作するための基礎を身につけるための重要な教育課程だったのである。徒弟たちはそうしたいわゆる「下積み」を通して、一人前の職人画家になるための基本技術を一つ一つ身につけていったのである。

しかし、遅れて弟子入りしたか、もしくはそうでなくとも父親のもとから工房に通っていたと思われるレオナルドは、結局は朝から晩まで下働きを兼ねた修業をするほかの弟子たちよりも徒弟期間は短かったわけで、まったくの下積みから叩き込まれるという経験を踏まなかっただろう。それに私生児とはいえ、メディチ家に出入りする公証人セル・ピエロ・ダ・ヴィンチ氏の御曹子である。おそらく彼は見習いの段階を飛び越えて、すぐに素描や絵画の技術と理論を学ぶという教育課程に進むことができたのであり、そしてこのことが新しい時代を担う新しいタイプの芸術家を育てる要因となったのではなかろうか。

レオナルドがそうした教育を受けたことは、彼が自らの芸術論や絵画の理論と実践法を著した『絵画論』の中の記述からもうかがえる。レオナルドはこの書の中で、画家になるために初心者はまず数学や遠近法、そして素描を学ぶべきだと繰り返し述べている。すなわち最初に理論を学習すべきだと説いているのである。素描は、理論を具体化・視覚化するための基本的な実践の場となるわけである。そしてここで重要なのは、『絵画論』のどこにも、弟子はまず絵の具を捏ねたり筆の手入れをするなどの下積みから始めるように、といった記述がないことである。

このことはレオナルド自身が、中世以来の古い徒弟制度に基づく修業ではなく、理論と実践を効率的かつ組織的に教育するような課程で学んだことを暗示している。師ヴェロッキオはすでに本職の彫刻・金工の分野にとどまらず多方面で活躍し、大きな工房を構えて総合的な造形業を営んでいた。彼のもとには門下制度や流派を超えて大勢の才能ある美術家や職人たちが集まって腕を競い、また、工房ではいわば近代的な総合芸術教育カリキュラムとでもいうべき修業方法が採用されていたのである。そこでは絵画・彫刻・建築・工芸のすべてに通底する営みである素描つまりデッサンが重視された。ヴェロッキオ工房では、師の素描はもとより、優れた画家や先輩たちの素描が大切に蓄積され、弟子たちはそれを手本にしながら学んだ。今日フィレンツェのウフィツィ美術館にはレオナルドを含むヴェロッキオの弟子たちの素描が数多く保存されており、それらの中には同じモデルを異なる画家が描いた素描も多く見られる。これこそまさに、ヴェロッキオ工房で組織的な素描教育が行われていたことの証しである。

高度な理論修得と画家・職人の二極化

当時の職人的な画家や彫刻家の大半は、ほとんど読み書きができなかった。たとえ俗語つまりイタリア語ができても、当時の書物とりわけ学術書はラテン語で書かれていたため、職人たちにはとうてい読めるものではなかった。聖書ですらそうであり、聖書を絵画化して大衆に伝えるという役割を画家たちが担っていたことからも明らかなように、そもそもキリスト教徒の大半が聖書を自力で読んだことがないというのが実態だったのである。しかし、そんな時代も終わろうとしていた。

初期ルネサンスの画家や理論家たちが目指したのは、視覚像の忠実な再現を可能にするシステムの確立だった。建築家ブルネッレスキが「透視図法」という画期的な方法を考案し、一四三五年にその基礎理論をレオン・バッティスタ・アルベルティがラテン語で出版した。続いて翌一四三六年には同じアルベルティが、せめて識字能力を有する画家や建築師たちのためにと、自ら俗語の改訂版を出版した。

こうしてルネサンス絵画に新しい世界が開かれた。しかしそれは同時に、字の読める画家すなわち理論書を読解できる画家とそうでない画家との間の差別化の始まりでもあった。知的素養を備えた画家は次世代を担い、社会的評価を勝ち得ていくが、そうでない画家たちは職人としてひたすら手仕事に専念し、下働きに従事するしかない。知性ある画家たちは作品の制作はもとより、企画やプロデュース、マネージメントといったコンセプト・ワークを行い、大勢の職人たちを指揮する。そうしたいわばエリート画家たちと、単なる職人として一生を終える者たち。同じ工房内でも歩む道は大きく異なる。そういう時代が到来したのである。

そうした時代の変化が芸術の世界にもおよび、知的貧富の差、画家の職能の二極化は避けられない状況となった。そうなれば、親方としても工房経営の将来を見越して、時代の変化に対応できる弟子たちを育てて行かなければならない。もともとヴェロッキオはかなりの知性の持ち主で、画家・彫刻家・建築家であると同時に種々の工芸にも通じ、解剖学的な知識も備え、大工房の経営者としての総合力を兼ね備えた新しいタイプの芸術家だった。時代の変化という必要に迫られてというよりも、彼のような画家たちこそが率先して新しい美術市場を開拓していったのである。そんな彼が弟子たちの能力を判定し、それぞれに応じた教育プログラムを課していったのは当然のことであった。

三　超えられない先輩ボッティチェッリ

ヴェロッキオ工房にとどまった二〇代前半

レオナルドは、二〇歳になった一四七二年にサン・ルカ同信会と呼ばれる画家組合に登録されている。これは修業期間を終えて一人前の職人となったことを意味する。しかし彼はその後も数年間は独立せずにヴェロッキオ工房にとどまり、ようやく一四七九年頃に独立して、ひとりで暮らしはじめた。

徒弟期間を終えてマエストロとなったあともレオナルドが師のもとで暮らしていたのは、まずは彼がいまだ修業の身だったという理由によるものだろう。ただしそれはレオナルドが未熟だったということを意味するわけではない。それどころか彼は抜群の素描力を備えたきわめて優秀な弟子だった。しかし、職人的なもろもろの作業にはかならずしも習熟しておらず、実際面での経験も浅かったため、まだまだ独り立ちできるような段階にはなかったのだろう。

ヴァザーリによれば、レオナルドはまだ徒弟の身でありながら、師ヴェロッキオの《キリストの洗礼》（図1-1）の左端の天使を描き、その見事な出来ばえを見たヴェロッキオは、その後絵筆をとろうとしなかったと、その早熟ぶりが強調されている。しかし実際には、この作品は一四七二年から翌年頃に制作されたものであり、このときレオナルドはもはや徒弟ではなく、ちょうど修業を終えて画家組合に登録された頃にあたる。したがって、ヴァザーリがこの作品を理由にレオナルドを早熟と評していることが誤りであることは、すでに諸研究者の指摘するところであり、こうした逸話は、実際にレオナルドが弟子たちのなかでとりわけ早く画家としての成長を遂げたという証拠にはなりえないのである。

むしろ、レオナルドの画家としての出発は、あまりぱっとしたものではなかったというのが実情のようである。たしかに《キリストの洗礼》でレオナルドが描いた天使は、ヴァザーリが賞賛するように、その少年とも少女ともいえない性を超えた妖艶（ようえん）な美しさといい、振り向きざまにキリストを見上げるポーズといい、師ヴェロッキオが描いたとされるもう一人の天使よりもはるかに斬新かつ高度な表現を示している。明暗の調子を的確にとらえた衣の表現などもリアルな重量感があり、これに比べればもう一人の天使の衣や洗礼者ヨハネの衣服、キリストの腰布などは布の質感を欠いた貧弱な代物といわざるをえない。この作品においてレオナルドは明らかにその優れた才能を示している。

だが、この作品はやはりあくまで師の助手を務めた部分的な仕事にすぎない。この時点でレオナルドが、はたして独力で一枚の祭壇画を完成させるだけの力量を備えていたかどうかは未知数である。そしてこれ以降、彼がヴェロッキオ工房に所属していた頃に手掛けた作品

図1-1　ヴェロッキオと共作《キリストの洗礼》

の《受胎告知》（一四七五年頃、ウフィツィ美術館）、《受胎告知》（一四七八―七九年、ルーヴル美術館）、《カーネーションの聖母》（一四七八年頃、ミュンヘン、絵画館）、《ブノワの聖母》（一四七九年頃、エルミタージュ美術館）、《ジネヴラ・デ・ベンチの肖像》（一四七八―八〇年、ワシントン、ナショナル・ギャラリー）などは、いずれも特別優れた作品とはいえない。クラークなどは、これら初期の作品には「知性の片鱗すらない」とまで断言する。レオナルドが初めてその才能を発揮したのは、フィレンツェ滞在期の最後、三〇歳になろうという時期にようやく手掛けることになった初の祭壇画《東方三博士の礼拝》からといえる。

それに比べて先輩のボッティチェッリは、若手ナンバーワンの画家として華々しい活躍をしていた。先にも述べたように、ボッティチェッリはヴェロッキオ工房ではレオナルドと同期だったが、年齢は七つ上で、すでにフィリッポ・リッピのもとで修業しており、レオナルドよりも先を行っていた。しかも職人としての優れた力量を備え、仕事は早く的確だった。レオナルドにとってボッティチェッリは、同時代を生きる画家として、目の前に立ちはだかる強敵でもあったのである。

首吊り男のスケッチ

一四七九年の末にレオナルドは、絞首刑に処せられた男の姿をスケッチしている（図1―

2)。この前年の一四七八年四月二六日、パッツィ家に雇われた刺客がジュリアーノ・デ・メディチを殺害するという陰謀事件が起こった。メディチ家は徹底的に犯人を追及し、トルコに逃亡した首謀者ベルナルド・ディ・バンディーノ・バロンチェッリをコンスタンティノープルで捕らえた。そして翌年一二月二八日、新年を迎えようとする祝いの時期に、主犯バンディーノは首にロープを掛けられてバルジェッロ警察署（現バルジェッロ美術館）の窓から突き落とされたのであった。この忌わしい事件はこうした決着をもって締めくくられたが、それはメディチ家が断固とした報復の意思をアピールするための公開処刑だった。

このとき、集まる市民たちが凄惨（せいさん）な光景を見上げて悲鳴を上げたり怒号を浴びせたりするなか、レオナルドはぶら下がる死体のスケッチをし、その脇に「淡褐色の小さい帽子、絹の黒い上着、裏付きの胴衣」等々と、バンディーノの衣服の柄などについてのメモも書き残し

図1-2　首吊り男のスケッチ

ている。こうした細部まで記録しようとするレオナルドの姿勢から、彼の冷徹な性格や科学的な精神をうかがうことができる。

ところが、レオナルドがこの無惨な光景を客観的に記録しているのには、もう一つの事情があった。実はこのようなスケッチを描くのはレオナルドに限ったことではなかった。というのも当時のフィレンツェには、処刑の様子を警察署の建物の外壁に描くという習慣があり、画家たちはしばしばこの仕事を請け負っていたのである。写真のようなメディアがなかった時代、いわば新聞や政府広報といった性格を帯びたこの種の仕事は、もとよりおよそ芸術的なものではないが、当時の画家、というより職人たちにとっては営業種目の範囲内だった。したがってレオナルドも政府あるいはメディチ家から依頼されて、事実を正確に伝える必要上、処刑の様子を淡々と記録したのである。この陰謀事件はメディチ家およびメディチ派閥にとっては犯人の処刑程度では怒りのおさまらない事件だった。そこでメディチ家としては、反メディチ勢力を封じるためにも、この公開処刑に際してメディチ一門の勢力を大いに誇示する必要があったのである。

ここでも仕事を取り逃がす

レオナルドにしてみれば、この処刑の様子を首尾よく描き上げることで、文化芸術振興のパトロンであるメディチ家に対してポイントを稼ぐことができたはずである。ところがレオナルドは首吊りの様子をスケッチしたものの、ついに壁画に描くことはなかった。ここでもまた、レオナルドが遅筆なうえにフレスコ画を描かない画家だったことが災いとなる。

この壁画制作に際しては、当然ながらフレスコ画法が適用される。この画法は、壁に塗った漆喰が生乾きのうちに彩色しなければならないため、素早い作業を画家に強いるが、それだけでなく、この事件の社会的性格からも、処刑の光景はいち早く公開される必要があったはずである。したがってレオナルドにはもともと不向きな仕事だったのである。あるいはそもそもレオナルドはスケッチのみを行い、壁画制作は別の画家に担当させるということになっていたのかもしれない。

結局この仕事はボッティチェッリが引き受けた。この種の一時的な壁画は保存されないため、残念ながらその出来ばえについてはもはや知るよしもないが、ボッティチェッリほどの画家であればたやすく仕上げたことだろう。彼にはスケッチや習作素描を準備することすら必要ではなかったかもしれない。というより、そこまでするような仕事でもなかっただろう。

だが、むしろこの種の仕事であっても克明なスケッチとメモを残すところに、レオナルドの性格が表れていると考えてよいだろう。たしかに物事を冷静かつ正確に把握しようという態度がそこにはある。しかし当時の職人社会では、そのために仕事が遅れるようでは役に立たなかったのだ。こうしたレオナルドの性格は生涯にわたって常に彼を苦しい立場に追い込むことになる。それに対して先輩のボッティチェッリはあらゆる仕事をこなし、一躍人気作家として注目され、メディチ家の庇護も得て、すでに活躍していた。ボッティチェッリが《東方三博士の礼拝》(一四七五年頃、ウフィツィ美術館)でメディチ家一門の群像を描いて評判となった頃、レオナルドはといえば、男色行為をしたとして告訴されるなど、およそ名誉ある経歴は持ち合わせていなかった。この男色行為の審議記録(一四七六年)に記載されたレオナルドの肩書きは「画家」ではなく、「ヴェロッキオのもとにいるレオナルド」だった。

ボッティチェッリ批判

レオナルドは『絵画論』の中で、画家はあらゆるものを等しく愛してそれを絵に描くべきであり、したがって風景を描くことをおろそかにしてはならないと説く。その際にレオナルドは、反面教師としてボッティチェッリの名を挙げ、彼の描く風景画を批判している。「ボッティチェッリが言うには、そのような［風景の］研究は無意味である。というのもさまざまな色をたっぷり含ませたスポンジを壁に投げつければ、壁に色の染みが残り、そこに美しい風景が見えてくる。［中略］しかしそのような染みの跡は、君に発想を与えはするが、特定のものを完成させることを教えてはくれない。そのような画家はじつに嘆かわしい風景を描くのである」(『絵画論』第二章「画家の心得」)。

図1-3　ボッティチェッリ《春》

風景描写などは壁にスポンジを投げつけた程度でよいのだとボッティチェッリが言っていたらしいが、レオナルドはそれを逆手にとって、ボッティチェッリの描く風景などはまさに壁の染み程度だと言いたかったのだろうか。だとすれば、レオナルドはみごとな皮肉を展開したことになる。レオナルドは手稿の中で幾人かの画家の名を挙げているが、このように手厳しく批判するというのはきわめて珍しい。それはともかく、万物を描くことこそ画家の使命であると考えていたレオナルドは、ボッティチェッリが風景描写をないがしろにしていたと批判しているのである。

たしかにボッティチェッリの作品を見ると、背景に描かれた自然の風景はじつに単純である。《春（プリマヴェーラ）》（図1-3）を見ると、群像の背後には樹木の幹が衝立（ついたて）の

図1-4　ボッティチェッリ《ヴィーナスの誕生》

ように立ち並んで視界をさえぎり、隙間からわずかに垣間見られる背景には風景らしいものはほとんどない。《ヴィーナスの誕生》（図1－4）においては、女神の立つ場所は海面というよりも単なる緑灰色の無機的な平面で、手前のほうに描かれた波紋にはまるでリアリティーがない。

とはいえ、もともと当時のフィレンツェの画家たちは自然の風景にあまり関心を寄せていなかった。盆地に建物が密集するフィレンツェはまさに都会であり、人々の関心は商売に向けられ、上流階級の娯楽は詩や音楽だった。物語絵の舞台として描かれるのはそうした都市の光景であり、したがって絵画の背景に与えられるのは透視図法に基づいて人工の建造物が構成された都市空間だったのである。ことさらボッティチェッリだけが風景を軽視したわけではない。

羨望と尊敬、そしてライバル意識

では、レオナルドが『絵画論』でボッティチェッリを名指しで批判したのは、なにか恨みでも抱いていたということなのだろうか。いや、そうではなく、むしろそれはボッティチェッリを強く意識していたレオナルドの心理が露呈した結果だろう。『絵画論』といういわば若い画家のための指南書の中でボッティチェッリの名を挙げたのは、ボッティチェッリが有名な画家だったからにほかならない。皆が知っている画家だからこそ例として挙げる意味があるのである。そしてさらに、ボッティチェッリの描く風景が芳しくないというのは、裏を返せば、風景を除けばボッティチェッリの描く作品は申し分のない出来だということである。

実際ボッティチェッリほど総合性を備えた画家は、当時のフィレンツェにはほかにいなかった。まず第一に彼は肖像画家として優れた写実力を備えており、とりわけウフィツィ美術館収蔵の《東方三博士の礼拝》では、聖書の一場面になぞらえてメディチ家一門の集団肖像画を披露している。小品ではあるが、当時たいへんな評判となり、ヴァザーリによれば、その評判が教皇シクストゥス四世の耳に入ったのがきっかけで、ボッティチェッリは例のシスティーナ礼拝堂壁面装飾の監督に抜擢(ばってき)されたということである。そのような経緯が事実かどうかはともかく、当時そうした逸話が事実として認識されていたということだろう。ボッテイチェッリの名声はすでにそれほど高かったのである。

とにかく、写真のない時代の画家たちが成功するには、まずもって有力者たちの肖像を的確かつ迅速に描くことが必要だった。その点でボッティチェッリは有能だったのである。そしてさらに彼はかなりの教養人だった。ヴァザーリは、ボッティチェッリが少年時代に読み書き算盤を習わず、本も読めない人物であったかのように伝えている。しかし、たとえ読み書きができなくとも、彼はメディチ家のサロンで文化人と交わり、古代神話などの文学的世界について豊富な知識を備えていた。それは彼の作品から十分にうかがえることである。

先に述べた壁にスポンジを投げつけるという話にしても、これはすでに古代から伝わっていた逸話で、似たような話がいくつかあり、たとえばプリニウスの『博物誌』（一世紀）第三五巻中の「ギリシアの画家たち」と題される章では、プロトゲネスという画家が、息を切らしている犬の口にあふれた泡を描く際に、犬の口もとが描かれている部分にスポンジを投げつけて首尾よく泡らしさを描き出すことができたとか、ネアルケスという画家が同じ方法で馬の口泡を表現したといった逸話を紹介している。

したがってボッティチェッリは、おそらくレオナルドと風景に関して議論かなにかを交わした際に、そうした古代画家たちの例を引き合いに出して風景についての持論を語ったのだろう。たしかに風景描写を軽視していた点では、ボッティチェッリはその後のルネサンス絵画の流れからすると旧い世代に属していたし、結果的にレオナルドに批判の余地を与えることにはなった。だがそれはともかく、こうした気の利いたレトリックを使っていることからも、ボッティチェッリがなかなか機智に富んだ人物だったことがうかがえるのである。レオナルドは『絵画論』の中で、もっぱらボッティチェッリに対する批判の意を表明したわけではなく、むしろあのボッティチェッリですら風景描写についてはいまだ深い洞察にいたっていなかったということで、自らの画論の先駆性を補強したかったのであり、そこには田中英道氏も指摘するように、ボッティチェッリに対する尊敬の気持ちも表れているのである。

そしてさらにいえば、ボッティチェッリの優れた点は、当時最先端の絵画理論をも実際に駆使していた点にある。それは遠近法すなわち透視図法である。《春》や《ヴィーナスの誕生》といった著名な作品を見るかぎり、ボッティチェッリは厳格な写実よりも装飾的な甘美さを旨とした画家のような印象を受けるし、これらの作品に描かれた人物像には重量感がなく、まるで宙に浮いているようである。しかし彼は透視図法に基づいて三次元空間を再現することもできたし、現実に生きる人間のドラマを画面に展開することにも秀でていた。そしてそのようなボッティチェッリの優れた点を見抜いていたのは、ほかならぬレオナルドその人だったのであり、レオナルドはこの先輩からじつに多くを学んでいたのである。

そのことはボッティチェッリの出世作となったあの《東方三博士の礼拝》と、レオナルドの《東方三博士の礼拝》を比較してみるとよく分かる。

四　《東方三博士の礼拝》——先達への挑戦

ボッティチェッリの先駆性

ウフィツィ美術館収蔵のボッティチェッリの《東方三博士の礼拝》（図1-5）には、画面構成において画期的な工夫がなされている。それは、左右相称的な群像の配置による求心的な構図のことで、すなわち画面の中央やや上方に聖母子とヨセフを置き、これを中心にして画面の左右に群像が配されているのである。

この作品以前に、すでにフィレンツェでは数多くの礼拝図が描かれたが、それらはたとえばジェンティーレ・ダ・ファブリアーノの作例（図1-6）のように、聖家族を画面の端に据えて、三博士とその従者たちを横方向に配するという構図が主流だった。これによればわれわれ鑑賞者は、イエスに謁見を賜る三博士らの様子を側面から眺めることになり、視線を画面の一方から他方へと動かしながら、物語の流れに沿って作品の主題を読み取っていくことができる。しかし、レオナルドのフィレンツェ時代の活動について詳細な研究を残したイエンス・ティーリスは、こうした従来の礼拝図では、構図にまとまりがないことを指摘している。

図1-5　ボッティチェッリ《東方三博士の礼拝》

それに対して、ボッティチェッリは伝統的な形式を破り、聖家族を画面の中央に移した。そして聖母の膝元に第一の博士、そして下方に第二の博士、その右隣に第三の博士を配した。これによって聖家族と三博士というこの物語の主人公たちが画面の中心に収まり、その他の人々つまり脇役たちが画面の両サイドを固めることになり、画面には左右相称性という幾何学的な秩序が与えられる。しかもこのようなシンメトリカルな構図は、見る者に心理的な安定感を与えるため、作品に堅牢（けんろう）で記念碑的な荘重さをもたらす。

　ところで、ボッティチェッリがなぜこのような構図を考案することができたかだが、それにはこの作品に描かれた人物像のモデルの素性が重要な意味を果たしている。すでに広く知られているように、この作品は「東方三博士の礼拝」に主題を借りた集団肖像画であり、第一博士に扮（ふん）するコジモ・デ・メディチを筆頭に、メディチ一族とその一派たちが勢

図1-6　ジェンティーレ・ダ・ファブリアーノ《東方三博士の礼拝》

ぞろいしている様子を描いたものである。当時のフィレンツェにはコジモ・デ・メディチが「マギ（東方三博士）の会」と呼ばれるサロンを主宰しており、コジモが健在の頃には、メディチ家とその一門がマギと従者たちの姿をして街中を練り歩くという行事が執り行われていた。このことはすでにボッティチェッリ研究者らによって明らかにされている事実である。

　ボッティチェッリ研究者の関根秀一氏はこの行事がボッティチェッリの作品の基になっていることを指摘し、さらに、この儀式の形式や演出こそが、ボッティチェッリの作品に新しい構図をもたらしたと指摘する。すなわち、メディチ家一門による行列はやがて聖家族のもとに到着し、うやうやしく神の子に供物を捧げて祝福を受けるのだが、その様子は特別に設えられた舞台で演じられたのである。したがっておそらくこの光景は、ボッティチェッリの礼拝図さながらに、祖国の父コジモを中心にして、その周囲をメディチ家およびその支持者である要人たちが取り巻くかたちで、集まった市民たちに披露されたのである。

三人のマギたちは神の子を最初に訪問した人類の代表である。そこでコジモは自らと家族をそれになぞらえ、メディチ家がフィレンツェの人々はもとより、キリスト教徒すべての代表者であることを誇示した。そうした政治的思惑がボッティチェッリに新しい構図のヒントを与えた。ボッティチェッリの側から見れば、こうした政治的パフォーマンスを基軸にして、絵画史に残る画期的な表現形式を打ち出すことができ、同時にメディチ家の絶大な信頼を得ることもできたわけである。彼はまさにフィレンツェ社会が求めた理想の画家だったのである。

レオナルドはボッティチェッリからなにを得、なにを超えようとしたか

ボッティチェッリの礼拝図から数えて五年か六年後に、偶然にもレオナルドは同じ主題を扱うことになった（図1-7）。しかもボッティチェッリの作品が個人的な委嘱による小品だったのに対し、レオナルドの場合、フィレンツェの町外れにあった修道院からの依頼とはいえ、教会の中央祭壇画という大作を手掛けることになったのだ。徒弟期間を終えてから一〇年ほどたってようやく手に入れた大仕事である。彼が準備したスケッチや習作素描が数多く現存することから見ても、レオナルドがこの仕事に相当な情熱を注いでいたことが分かる。

図1-7　レオナルド《東方三博士の礼拝》

大評判となったボッティチェッリの礼拝図を超えるような作品を描き上げたい。レオナルドはそう思ったにちがいない。そのためにボッティチェッリの作品を入念に分析したはずである。そして当然ながら、まずはボッティチェッリの礼拝図の長所を自作にも導入することになるのである。

　まず画面全体の構図だが、一目瞭然なのは聖母子が画面中央に置かれている点である。これによって主題の核となる部分が明示され、これを中心に三人のマギと群集が左右のグループに分かれ、画面にシンメトリカルな構図が築かれる。ここまでの手法は明らかにボッティチェッリに負ったものである。そして画面の両端にそれぞれ一体ずつ全身像が配され、画面全体の構図を支える柱のような役割を担っている。しかしこのアイディアも、すでにボッティチェッリの礼拝図に見られる工夫なのである。

聖母子、ヨセフ、マギの表現に見られるドラマ性

ボッティチェッリ作品に登場する主人公たちの表現は、非常におとなしい。第一のマギは跪き、手を差し出してイエスの足に触れる。聖母もヨセフも、ただそれを見下ろしているだけである。そして第二、第三のマギたちも静かに自分の順番を待っている。二人は互いに顔を見合わせているが、いかにもおめでたい儀式の一コマといった風情である。おそらく実際メディチ家によるこの儀式はこうした厳かな雰囲気のもとに進行したのだろう。

ただ、ここで重要なのは三人のマギの扱いである。ボッティチェッリ作品では第一のマギがいままさにイエスに供物を捧げて祝福を受けているところだが、残りのマギたちはただ待つだけで、二人の間に表現のバリエーションがない。これに対してレオナルドの作品を見ると、第一のマギはすでにイエスに供物を捧げ終え、ひれ伏して控えている。したがっていまイエスに供物を差し出しているのは第二のマギなのである。そして第三のマギはこれから回ってくる自分の順番を待っている。

三人のマギにこのような別々の役割を与えることで、三者の間にバリエーションを与えることができ、それになによりもこれら三者によって、それぞれ過去・現在・未来といったぐあいに、時間の推移、物語の展開を表現することができたのである。これに比べてボッティ

チェッリの作品では、第二と第三のマギの表現はまだまだ単調であった。

もっとも、ボッティチェッリの場合、先に述べたように、もともとメディチ家一門の集団肖像画を制作するのが目的だったわけで、第一のマギがメディチ家当主でフィレンツェ最高の地位にあるコジモ・デ・メディチである以上、コジモが最初にイエスに接する場面を描かないわけにはいかなかった。それに対してレオナルドはこうした制約にとらわれることなく、純粋に物語のドラマ性を追求することができたわけで、その点ではボッティチェッリほど難しい立場になかったのが幸いしたといえる。しかし、もし彼もメディチ家の人間を想定して三人のマギを描き、ボッティチェッリのように表現していれば、メディチ家にも覚えがよかったのかもしれない。だがそのように媚(こ)びないところ、世渡りの下手なところがいかにもレオナルドらしいともいえる。

ボッティチェッリが先取りしていた技法

とはいえ、個々の人物表現をつぶさに見てみると、さすがボッティチェッリの作品には優れた点が多々見られる。たとえば第二のマギなどは、われわれに背を向けながらも、顔を右隣のマギに向けて横顔を見せている。そのためこれがコジモの息子ピエロだということが、当時これを見たフィレンツェの人々にははっきりと分かるようになっている。巧みな処理である。しかもこの顔は完全な横顔ではなく、やや画面奥のほうに回転した角度で表されている。もう一人のマギがやや奥に位置しているため、そちらに視線を向けると、このような微妙な顔の角度になるのである。ボッティチェッリは二人のマギの位置関係を計算に入れて顔の角度を正確に設定していたのである。これはのちにレオナルドが《最後の晩餐》のユダで見せる手法を先取りしたものである。

さらに、彼らから右のほうに頭一つおいた人物像を見てみよう。胸に手を当て、奇跡に立ち会う感動の面持ちで目の前の光景を見つめるこの人物の顔は、やや傾斜させた難しい角度で表されている。これは「短縮法」といわれる手法で、顎から頭にいたる顔面が微妙に画面手前から奥に遠のいていく様子を表したものである。これは透視図法の原理を人体という有機的な形態にまで適用した高度な表現であり、ボッティチェッリがいかに優れた素描力の持ち主であったか、そしていかに演出力のある画家だったかということがこれによって理解できる。そしてこの人物表現も、やはりレオナルドの《最後の晩餐》のピリポを先取りしているのである。

こうして見ると、レオナルドがボッティチェッリの風景表現を批判しえても、人物表現を批判しえなかった理由がよく分かる。それどころか、レオナルドはボッティチェッリの人物表現から多くを学んでいたのである。それに、風景表現にしても、たしかに書き割りのようではあるが、前景や背景の廃墟の描写を見ると、透視図法を用いた正確な三次元表現にのっとっており、ボッティチェッリがこうした仕事も確実にこなせたことを示している。風景にはあまり関心を示さなかったとはいえ、《春》に描かれた樹木や草花の緻密な描写を見れば、彼が自然のモティーフも見事に描きうる画家だったということが分かる。

とにかくボッティチェッリはなにをやらせてもうまい。彫刻や建築、機械工学にこそ手を染めなかったが、こと絵画に関してはたいへんな総合力を身につけている画家だった。あらゆるものを描いてこそ優れた画家であるというのがレオナルド自身の哲学だったが、じつのところ、その意味でフィレンツェ時代のレオナルドにとって、ボッティチェッリは一つの目標だったのではないだろうか。そこでレオナルドは、この祭壇画のために周到に習作素描を準備し、ボッティチェッリを含む先達の作品を研究し、新たなアイディアを打ち出そうとした。そんな彼の野心がこの《東方三博士の礼拝》には満ちあふれている。

広大な空間と魅力ある背景

ところで、ボッティチェッリとレオナルドの作品の間には大きな構図上の違いがみられる。それは前景・中景・後景（背景）の関係である。ボッティチェッリの作品は、いわば前景だけで成立しており、じつにシンプルな空間になっている。画面の手前に全登場人物が集合し、その背後は廃墟という衝立によって閉じられている。背景はその左右のわずかな隙間から垣間見られるのみである。左側には古代の廃墟、右側には山河が描かれているが、かなり素早いタッチで、まさに舞台の書き割りといった簡単な処理である。これを見れば、なるほどレオナルドがボッティチェッリの描く風景を批判したのもうなずける。

これに対してレオナルドの礼拝図では、聖母子の背後に若者らしき人物たちが詰め寄り、その後ろには二つの階段を備えたじつに立派な廃墟がある。そしてさらにその奥には広大な風景が開けているのである。しかもそこには前景に劣らぬほど大勢の人や馬がこと細かく描き込まれている。ティースはこの絵に描かれた人物像の数を数えており、それによると六〇人を上回るという。ここではボッティチェッリとは比べ物にならないほど、広大な空間と膨大な群像が扱われているのである。

前景では奇跡のドラマが演じられ、群集がひしめき合って息苦しいほどの緊張感を見せている。ところが、その背後ではすうっと視界が開けていく。こうした前景と背景のコントラストは、のちに《最後の晩餐》でも応用されるものである。そしてこの背景には緻密な透視図法に基づく美しい廃墟が構築されているが、いまだ粗描きの段階でしかないせいか、全体のイメージが朦朧としている。そのため、これまでレオナルド研究者たちがしばしば指摘してきたように、この背景全体がまるで夢の中の出来事のような幻想的な雰囲気に包まれている。

廃墟の正体

当時の礼拝図では、伝統的に古代ローマの廃墟が背景に描かれてきた。ボッティチェッリの作品もそうだったし、彼の描いたほかの礼拝図（図1-8）でも同様の扱いがなされている。そしてたいてい古代の遺構の上に、粗末な木造家屋すなわちイエスが誕生した厩が建てられている。これは古代ローマ世界すなわち異教の時代が崩壊し、それに代わってキリスト教の時代が訪れたことを暗示している。レオナルドの礼拝図では、わずかな描線で粗描きされているだけなのでよく見えないが、画面の右端に厩と牛とロバの姿が描かれている（図1-9）。

図1-8　ボッティチェッリ《東方三博士の礼拝》

したがってレオナルドの描く廃墟も、基本的にはこの図像形式にのっとっていると考えられる。しかし、それだけでは納得できない要素が多々見られるため、廃墟そのものについてはペドレッティが精密なイメージの復元を行っているものの（図1-10）、背景全体の解釈にはこれまで諸説あり、いまだ決着をみていない。

そもそもこの廃墟には、伝統的表現にとってはおよそ不必要と思われる大勢の人物が集まっている。階段を昇り降りする者がおり、それらを階上で待ち受ける者がいる。画面の左側、ちょうど廃墟の一階部分には馬に乗った者がおり、その手前には柱のかげに身を隠して剣のようなものを振り上げる者がいる。また画面の右手には激しくぶつかり合う騎士と、その周囲で恐怖におののく者や尻込みして吠える犬などの姿がある。

いったいこの不穏な情景はなにを意味するのか。騎馬戦の光景については、類似したイメージがのちの《アンギアーリの戦い》の中心場面として表現されていることがこれまでに指摘されているが、なぜそのような場面がこの礼拝図の背景に登場しているのかという理由については説明されていない。

図1-9　背景に描かれた廐

この廃墟を古代ローマの建造物とすることに疑問を抱く向きもあり、当時のメディチ家の別荘との類似性を指摘する説や、これをユダヤの神殿シナゴーグとする説もある。しかしいずれにせよ、なぜレオナルドがそのような建造物を礼拝図の背景に描く必要があったのかを、三博士礼拝という主題のコンテクストとの関係で説明することはできない。私は、むしろレオナルドはある意味でこの聖書の物語の主旨に沿った表現をしているのではないかと考える。のちの《最後の晩餐》などを見ても、レオナルドは作品の主題の扱いそれ自体に関しては意外に保守的である。というよりむしろ彼は、いかに主題を効果的かつ劇的に視覚化するかという問題に意欲を燃やすのである。

キリスト教主題を絵画化する際に、彼は自らがその信仰者であるか否かは別として、聖書というシナリオをドラマ化するための演出家・舞台監督の役に徹するのである。そのような彼の姿勢は、いかに物語を画面に構成するかについて『絵画論』の中で繰り返し論じていることからも明らかである。そこでは主題の内容にはいっさい触れようとはせず、ひたすら個々の人物表現や群像の配置など、表現法や構成法について説いている。むしろレオナルドとしては、無神論者であるがゆえに、キリスト教主題や神話主題の文学的な領域にはそもそも関心がなかったのである。

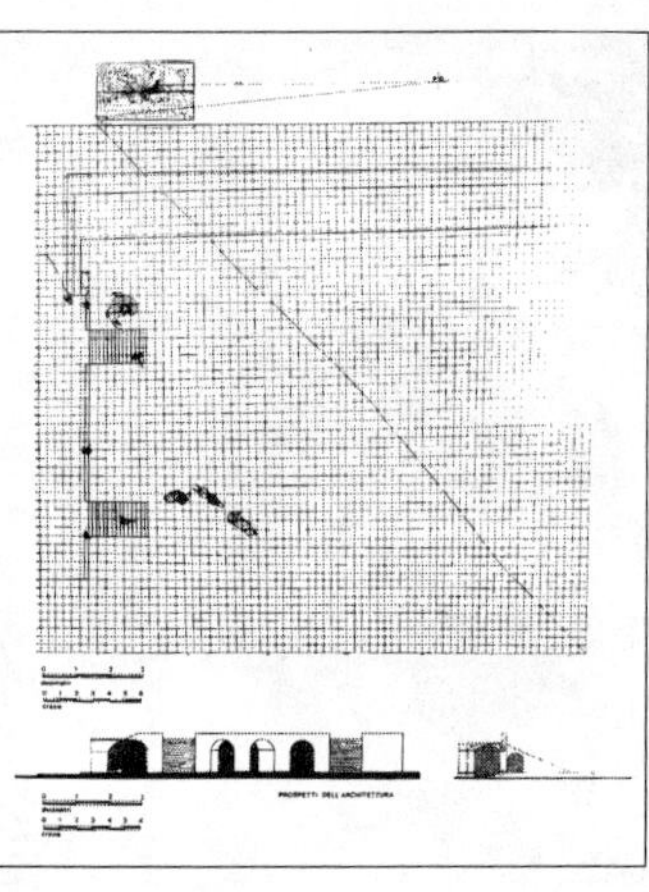
図1-10　廃墟の平面図

そこでこの礼拝図の背景についてだが、私はこの騒々しい戦場のような事態を、「ベツレ

図1-11　構図習作

ヘムでの人口調査」と「ヘロデ王による幼児虐殺」に関連する光景であると推測する。前者の根拠として、レオナルドの準備した素描が挙げられる。これを見ると(図1-11)、廃墟の下、二つの階段の間に机のようなものが仮設され、そこに陣取った者の前に人々の行列ができて、なにやら一人ずつ順に手続きをしている様子が描かれている。これこそローマ皇帝の命によって行われたという戸籍調査の光景で、『ルカによる福音書』によれば、この手続きのためにヨセフとマリアはベツレヘムに帰郷し、そこでイエスが生まれるのである。そして後者の根拠として、当時例の「マギの会」によって主催されていた東方三博士の礼拝の行列で、マギたちがベツレヘムの聖家族を訪ねたあと、最後には幼児虐殺の場面が演じられていたことが挙げられる。

これら一連のシークェンスを画面に構成することにより、「東方三博士の礼拝」の物語が完成される。レ

オナルド以前の画家たちは、礼拝図の中にこうした不幸な出来事までは描き入れていなかった。そしてそこにこそ、レオナルドの深い思索の跡がうかがえる。彼は聖書の物語を研究してよく理解し、さらに当時のメディチ家一門によって執り行われていた慣習をも考慮に入れた末、「東方三博士の礼拝」という主題をいっそう総括的に表現しようとしたのだった。

先にも述べたようにレオナルドは、たとえ当人が無神論者であったとしても、依頼された画題の内容から逸脱することはない。むしろ与えられた主題をいかに普遍的かつ深遠な表現として成し遂げるかを目標とし、複雑な諸問題をクリアすることに達成感を求めるタイプであるといえる。そしてそうした彼の目標はのちに《最後の晩餐》で成就されることになるのである。

深遠な明暗法の試み

レオナルドが自らに課したプレッシャーはじつに大きなものだった。「画家はあらゆるものを描かねばならない」というのは彼自身の言葉だが、こうして包括的な絵画表現を目指すと、しばしば収拾のつかない事態に陥る。《東方三博士の礼拝》はその典型的な例である。

すでにヴァザーリが言うように、この作品はあまりに野心的であり、この主題の前後の脈絡から派生的な事象まですべてを一枚の絵に盛り込むことはおよそ不可能なことだった。おそらくレオナルドはおびただしい数の習作を準備したにちがいない。現存する素描を見るだけでも、彼の試行錯誤の様子がよく分かる。また、板絵そのものを見ても、幾度も描き直しをした痕跡があり、しばしば構想の変更が行われたことが推察できる。その様子を見てみよう。

まず前景だが、一見してあまりに画面が暗い。聖母子と三博士についてはほとんど地肌の色がそのまま見えるほど明るいが、他の人物像は闇の中に埋もれている。画面を暗くしすぎたことはさすが画家だったヴァザーリは鋭く見抜いているが、なぜそうなったかについては推測していない。

これまでレオナルド研究者らによって指摘されているのは、レオナルドがこの作品ですでに明暗法による深いコントラストを試みようとしたという点である。おそらくレオナルドは、群集のなかで主人公である聖母子と三博士を際立たせるために、あらかじめその周囲の群像をやや暗い調子に統一しておこうとした。この作品が完成すれば、《岩窟の聖母》（図1−12）のような雰囲気に仕上がったことだろう。薄暗い空間から、人物の姿が明るくしかも柔らかい光を受けて魅惑的に浮かび上がる。レオナルドはすでに礼拝図においてそのような表現を志向していたのである。

しかし、それにしてもこの礼拝図の群像は暗すぎる。もはや形をなしていない人物像も少なくなく、描線も途切れていたり、ほかの人物像の輪郭と交錯したりしている。したがってこれらの人物像の多くは、描きかけというよりも、むしろ途中で放棄されたのではないかと

図1-12 《岩窟の聖母》

思われるほどである。私はこの板絵があくまで未完成の状態にあること、すなわち制作途上にあることを十分念頭におくべきだと考える。ここに描かれた数多くの人物像は、いまあるこの状態で描き進められる予定だったのではなく、現時点で暫定的にこの状態にとどまっているものである。おそらく時間さえ許せば、レオナルドはこの作品に手を入れてさらに改変したことだろう。

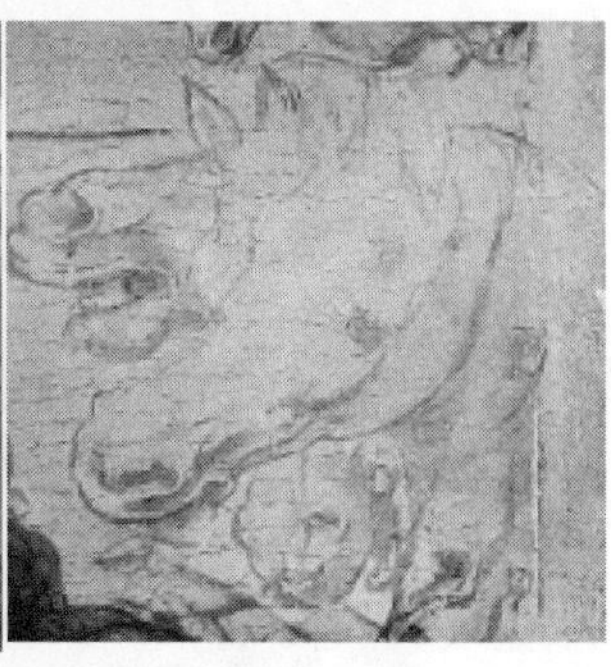

図1-13　馬の頭部の比較

画面の中程、前景のやや左手にはかなり描き込まれた馬の頭部がある。二人の若者が乗っており、たまたまここを通りかかったといった風情である。ところでこれと同じ高さで視線を画面の右端に移してみよう。するとそこにはじつに淡い描線で、これと酷似した馬の頭部が表されているのが分かる。両者は大きさも顔の向きや角度もまったくといっていいほど同じである（図1-13）。そしてさらにこの画面右端部分には、この馬の頭部のほかに二つの馬の頭部が描かれている。

おそらくレオナルドは、当初ここに三博士が乗ってきた三頭の馬を描くつもりだったのだろう。しかし考えを変えてこれを中断し、そのうちの一頭を左に平行移動して若者の乗る馬に仕立て直した。イメージを正確にコピーして別の箇所に移し変えるために、この馬像を一旦紙に写し取ったか、あるいはもともと一枚の準備素描を用意していた可能性もあ

図1-14　サンパオレージによる図

る。いずれにしてもレオナルドは、かなり機械的な作業で手際よく馬像を移動させている。

構図の大変更

なぜレオナルドがそのような変更を行ったのかは定かでない。だが、それはおそらくこの作品の構図全体を大幅に変更しようとしたために、それに付随する作業として行われたのではないだろうか。私はレオナルドがこの作品の制作過程で大手術を行い、構図はもとより、画形さえ変更したのではないかと考えている。

一九八七年五月に私はフィレンツェのウフィツィ美術館の許可を得てこの板絵を調査し、二点の物理的な事実を確認してきた。一点は消失点の正確な位置、もう一つはこの板絵を構成する板材の状態である。その際に私はこの板絵の構図と画形、そしてもとより寸法も、制作の途中で変更された可能性を見いだすことができた。

まずは消失点だが、すでにP・サンパオレージが推定していたように、レオナルドがこの作品の廃墟を作図する際に設定した消失点の位置が、画面右寄りに立つ樹木の幹のあたりにあるだろうことが分かっていた（図1－14）。そして該当箇所を観察したところ、消失点の位置を示す釘の穴が見つかった（図1–15）。これは当時の画家がよく使った方法で、消失点の位置を決めたら釘を打ち、それにヒモを結び、もう一方の端を手に持ってこれを定規として使用し、建造物などを構成する直線が消失点に向けて正確に収束されていくように作図したのである。

図1-15　消失点の写真（筆者撮影）

　さて、そこで問題となるのは消失点の位置である。消失点はこの作品の中央にはなく、画面のやや右寄りにあることが確認された。これはなにを意味するのか。当時の絵画に透視図法を適用する際には、消失点を画面中央に設定するのが常套手段だった。というのも、とくに祭壇画のような場合、それを拝観する信者は祭壇に対峙するため、信者の視線は祭壇画の中央に向けられる。したがって視線の延長上の対応点である消失点は、画面の中央に設定されるのが最適なのである。ボッティチェッリが描いた複数の礼拝図でも、常にこのような設定がなされている。ではなぜレオナルドは消失点の位置を右寄りに設定したのか。

　結論から言えば、もともと中央にあった消失点が、画形を変更したことにより、結果的に右に寄ってしまったのである。そしてこの時点で、この作品の板材の調査結果が重要な鍵となってくる。

この礼拝図は、五枚の板材を縦にして継ぎ合わせ、一枚の画板を構成したものである。ところが長年の間に各々の板材が彎曲（わんきょく）して接合部分が傷み、肉眼でも継ぎ目がはっきりと分かるほどになっている。そしてとくに左端の板材を見ると、そこに描かれた人物像などが、ほかと比べて描き込みの進んでいない状態にあることが見てとれる。画面右側よりも作業

図1-16　仮想図（筆者による）

密度が低いのである。

そこでこの左端の板材の部分を消去してみると、残った画面にはじつにはっきりと左右相称な構図が浮かび上がってくるのである（図1-16）。葉の繁ったこの木は画面中央に立ち、聖母子とその下に跪くマギをつなぐ供物も画面中央に位置する。そしてなによりもまず、消失点が画面の中央にしっかりと据えられることになるのである。廃墟と厩もちょうど画面の両端にバランスよくおさまり、背景の構図も引き締まる。

おそらくレオナルドは当初このような構図を想定して制作に入ったのではないだろうか。

しかし途中で彼の構想はさらに壮大な空間を扱うものへと飛躍し、そのため彼は思いきって構図を変更し、画面の左端にもう一枚板材を追加した。そして構図を左方向に拡張して、新たに人物像をそこに描き加えたり、馬像を移動させたりすることになった。もとよりそれに伴って、かなりの混乱が生じることにもなってしまったのである。

野心と迷い

ヴァザーリはこの絵を野心的と言ったが、まさにその通りであり、同時に数々の迷いもレオナルドにはあった。それらを数え上げればきりがないが、たとえばウフィツィ美術館収蔵の《背景素描》（図1-17）では、廃墟の階段と階段の間隔が板絵のそれよりも広い（図1-18）。これは単に視角の差異ではなく、距離点という透視図法上の設定の違いから生じるものである。

すなわち、レオナルドは素描の段階ではかなり近い距離から見るという設定でこの廃墟を作図したのだが、このイメージをそのまま板絵に導入すると、廃墟が前景の群像にかぶさってしまうため、もっと画面の奥、すなわち私たちからすればより遠くに建っている状態に変更した。そのためにはもう一度距離点を設定し直さなければならないが、おそらくレオナルドはそうした作業を行い、厳密な空間表現を目指したのである。そのことは画像を合成してシミュレーションしてみると分かる（図1-19）。まさにそこまでやるのがレオナルドなので

図1-17　背景素描

図1-18　廃墟の階段の比較

図1-19　合成画像（筆者による）

図1-20　ジョット《東方三博士の礼拝》（Bridgeman Images／アフロ）

ある。

彼はこうした手間のかかる試行錯誤を繰り返した。その苦難の跡は、やはり素描と板絵を見比べることで分かる。同じ《背景素描》に描かれた廃墟の階段の手前には、一頭のラクダが描かれている。レオナルド以前の画家たちによる作品では、礼拝図が東方世界の出来事であることを示すため、しばしばこうした手法がとられた。ジョットなどはその代表的な例である（図1-20）。ところが板絵ではこのアイディアは放棄され、代わりになにやら熱い議論を交わす一群の人物像になっている。

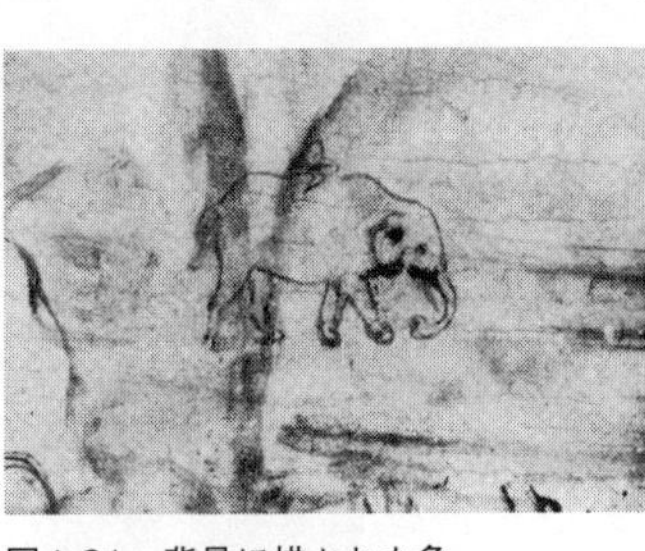

図1-21　背景に描かれた象

そのような点から、レオナルドは素描の段階ではラクダを描いたものの、板絵の段階ではそうした異国情緒を誘うための見え透いた常套手段に頼ることを避けたのだろうという見方もなされた。しかし、その一方でレオナルドは、板絵になんと一頭の象を描き込んでいるのである（図1-21）。すなわち板絵の段階でもレオナルドはまだモティーフの選択に迷っているのである。

独立のための賭け、ミラノへの旅立ち

《東方三博士の礼拝》は、レオナルドにとって正念場だった。私生児として生まれた彼は、父セル・ピエロからそれなりの愛情は注がれていただろうが、父は公証人としての出世を望み、私生活では嫡子を望んでつぎつぎと年若い女性を妻にめとった。ヴェロッキオ工房にいた頃、父はレオナルドよりわずか三歳年上の妻と暮らし、一四八〇年に父セル・ピエロが作成した資産申告書によれば、レオナルドは被扶養者からはずされている。このときピエロは五三歳にして三人目の妻マルゲリータと暮らしているが、この継母は当時二八歳のレオナルドより六つ年下の二二歳で、ピエロとの間に一歳の息子があった。それに前の継母の子で四歳になる弟も父と暮らしている。レオナルドのいる場所はもはやなかったのである。そして先にも触れたようにこの頃レオナルドは一人暮らしを始めていた。

徒弟期間を終えてからも画家としていま一つ芽が出ず、当時流行していた楽器リラ・ダ・ブラッチョを片手に街中で弾き語りのようなことをしてみたり、あるいは同世代の若者たちと男色行為に耽（ふけ）った容疑で告発されたりと、父親にとってはあまり自慢できる息子ではなかったようである。レオナルドは二〇代後半になってやっと独り立ちしたが、師ヴェロッキオは同じ年齢ですでに大勢の弟子を抱える大工房を構えていた。

たしかに父ピエロには不憫な子であるレオナルドを甘やかしてきた面もあっただろう。本来ならばフィレンツェで高等教育を受けさせ、さらには大学に進学させることもできた。ところがレオナルドはそうした出世コースを歩まなかった。おそらくヴァザーリの伝えるように、頭の良い子ではあったが、勉強が嫌いで、そういう方面での忍耐力がなかったのだろう。それにそもそも父ピエロが彼の将来に期待していなかったため、レオナルドに高等教育を受けさせず、少年期までヴィンチ村で好き勝手にさせていたことも考えられる。家長としてはやがて生まれてくる嫡子を跡継ぎにすればよいわけである。そこでレオナルドは当時の良家の子息たちとは異なる進路、すなわち職人のもとに徒弟奉公に出された。もちろん本人も画業の道を望んだのだろうが。

しかしいつまでも父親や師のもとにいるわけにはいかない。父親のもとには若い妻がおり、幼い異母兄弟たちがいる。師ヴェロッキオは《コッレオーニ騎馬像》鋳造のためヴェネツィアに発つことになった。そうなればレオナルドはもう自力で生きていくしかないのである。しかも今回の作品は肖像画や聖母子画といった小品ではなく、祭壇画という責任ある大作である。それもこれまでレオナルド研究者らによって指摘されているように、どうやら父親の縁故で手に入れた仕事である。この作品をものにしなければ父親の面目は立たないし、また二度とフィレンツェではこうした仕事が回ってくることはないだろう。

しかし彼は結局この《東方三博士の礼拝》を仕上げることなく、ミラノに旅立ってしまう。その際に彼は、描きかけのこの礼拝図を知人のもとに預けた。修道院との契約によれば、レオナルドがこの仕事を完了しなかった場合、制作途中の作品やこれに要した画材道具など一切を修道院側が没収することになっていた。レオナルドとしてはそうした事態を避けるために、未完成の板絵を知人にかくまってもらったわけである。かなりの違法行為である。おそらくレオナルドは、この作品をいつか完成させようと考えていたのだろう。しかしこのような不祥事が続くようでは、もはやフィレンツェでの画業は望めない。こうなっては故郷を捨てて新天地に活動の場を求めるほかなかったのだろう。

図1-22　レオナルド《東方三博士の礼拝》(2012-17年に行われた修復後のもの)

実際にレオナルドがどのような経緯でミラノに行くことになったのかは、いまだにレオナルド研究における基本的な謎の一つである。だが、どのような経緯があったにせよ、おそらくこの旅立ちはミラノでの順調な再出発を約束するようなものではなく、新たな試練を彼に与えるものだったと思われる。

これまで多くの研究者によっ

て、レオナルドはミラノの水に馴染み、宮廷生活に甘んじて才能を浪費したといわれてきた。だが最近の研究により、ミラノ宮廷での活動が決して安逸なものでなかったことが分かってきている。レオナルドのミラノ行きと、同地での活動は、彼にとっては魅惑的だったが、同時に、常に不安にさらされ、政治権力に翻弄されるものだったのである。

第二章　新天地ミラノでの活動

一　ミラノ着任の経緯

不況とインフレの都フィレンツェ

ヴェロッキオ工房から独立してからのレオナルドが画家としての自立に恵まれなかったことについては、彼自身の移り気やむら気ばかりが原因ではなかった。一四七〇年代に入るとフィレンツェの経済に陰りが見えはじめ、インフレと不況がフィレンツェを覆ったのである。織物などの製造業から金融業へと移行したメディチ家によるバブル景気が崩壊しはじめ、また数々の政治危機も相次いだ。当時のイタリアは、現在と違っていくつもの都市国家に分かれて相争い、互いに複雑な同盟関係を結んでは、領土や勢力拡大のための戦争を繰り返していた。ルネサンス文化の開花という華やかな一面がある一方で、世はまさに下克上の戦国時代でもあったのである。

フィレンツェは、一四七八年のパッツィ家によるメディチ暗殺事件に続いて、一四七八年から八〇年にかけての対教皇・ナポリ戦、一四八〇年から八一年の対トルコ戦、一四八二年から八四年の対教皇・ヴェネツィア戦、一四八四年から八七年の対ジェノヴァ戦などの戦乱に巻き込まれた。こうしてメディチ銀行の支店網によってイタリア内外に拡大していたフィレンツェ経済は、大打撃を受けたのである。

不景気になれば、まず余剰文化への支出が切り詰められるのは今日の社会と同じである。詩や音楽を愛したロレンツォ・デ・メディチは財を投じてジョストラ（馬上槍(やり)試合）を催したが、フィレンツェの町全体としては、教会付属の聖歌隊による音楽会や、演劇その他各種の祝祭は、経費削減によって上演の機会が少なくなっていった。そのしわ寄せは、当然ながら美術の分野にもおよぶ。

それにこの頃のフィレンツェでは美術品もかなり飽和状態になっており、壁画や祭壇画は主要な聖堂や礼拝堂にはすでにおおかた収まっていた。そうした公共性の高い施設にはモニュメンタルな作品が求められるため、いったん作品が設置されれば、作品は長期にわたって保存される。職人の人口が増加する一方で、美術品の需要は減少していったのである。こうした状況下でレオナルドは、おそらくフィレンツェでのわが身の将来に不安を感じたことだろう。そして折よくミラノに職を得ることができたのである。

なぜミラノに向かったのか

レオナルドがどのような経緯もしくは立場でミラノに赴くことになったのかについては諸説あり、現在でも謎のままである。一般的には宮廷画家としてミラノ領主イル・モーロことロドヴィーコ・スフォルツァに召し抱えられたとされているが、それほどたやすく宮廷画家の地位を得たわけではなさそうであり、というより、はたして画家としてミラノに行ったかどうかすらも疑問なのである。

アノニモ・ガッディアーノなる人物が一五三七年にレオナルドの伝記を著しているが、それによればレオナルドは「大ロレンツォ（ロレンツォ・デ・メディチ）によって、リラを献上するためにミラノ侯のもとに派遣された」という。ここに記された「リラ」とは、「リラ・ダ・ブラッチョ」というバイオリンの前身のような楽器である。

ところで、ガッディアーノはさらに続けて、レオナルドのことを「そのような楽器を演奏する唯一の人物だった」と述べている。ということは、レオナルドはリラの演奏家、つまり音楽家としてミラノに派遣されたことになる。だが、リラは当時流行していた楽器で、歌詞に即興的に節をつけて弾き語りをする際によく伴奏に使われたものである。では、なぜガッディアーノはレオナルドのことを、そのような楽器を演奏する「唯一の人物」だったと言っているのだろうか。

ここでヴァザーリの『美術家列伝』中の「レオナルド伝」を見てみよう。じつはヴァザーリはこの伝記を執筆する際にガッディアーノ本を参考にしており、レオナルドのミラノ行きの経緯についてもかなり類似した記述をしている。あるいはガッディアーノの伝えるところを鵜呑みにしていたのかもしれない。そのヴァザーリによれば、「リラの演奏に秀でていたレオナルドは、公爵（ロドヴィーコ）に歓待されて、リラを演奏するためにミラノに赴いた。レオナルドは自らの手で作った楽器を携えていったが、それは大部分が銀製で、馬の頭蓋骨の形をした新奇なものだったが、それは胴部を大きくして、より大きな音を出すためだった。そして彼はその際に競演した他のいかなる音楽家たちよりも優っていた」という。

興味深いのは、レオナルドが奇妙な形の楽器を自作自演したという点である。したがってガッディアーノの言う「そのような楽器」が、ヴァザーリの伝えるような創作楽器だったとすれば、製作者であるレオナルドだけがそれを扱うことのできる「唯一の人物」だったとしても不思議はない。またヴァザーリは、レオナルドがリラの名手だと述べたうえでこの新奇な楽器について特筆していることから、それはやはりリラに似た弦楽器だったと推測される。実際それらしい楽器のスケッチをレオナルド自身が残しているので（図2-1）、彼がミラノに持参した楽器はおおよそこれに似たものだったろうというのが、今日では定説となっている。なお、当時の画家や彫刻家はいわば工芸職人でもあったわけで、したがってレオナルドが彫刻作品のような楽器の類を製作したとしても不思議はない。

ところでヴァザーリは、レオナルドが「見事な即興詩人であった」とも述べている。とすればレオナルドが即興的につくった詩に節をつけて吟じた可能性もある。ガッディアーノは演奏家としてのレオナルドにしか言及していないが、演奏だけでなく歌も歌った可能性があるのである。このことについては、さらに興味深い資料がある。パオロ・ジョヴィオという人物が一五二七年頃に著した『レオナルド小伝』によれば、レオナルドは「リラを巧みに演奏しながら歌い、生涯を通じて諸侯にたいそう親しまれた」という。つまりジョヴィオによればレオナルドは歌い手でもあったわけである。

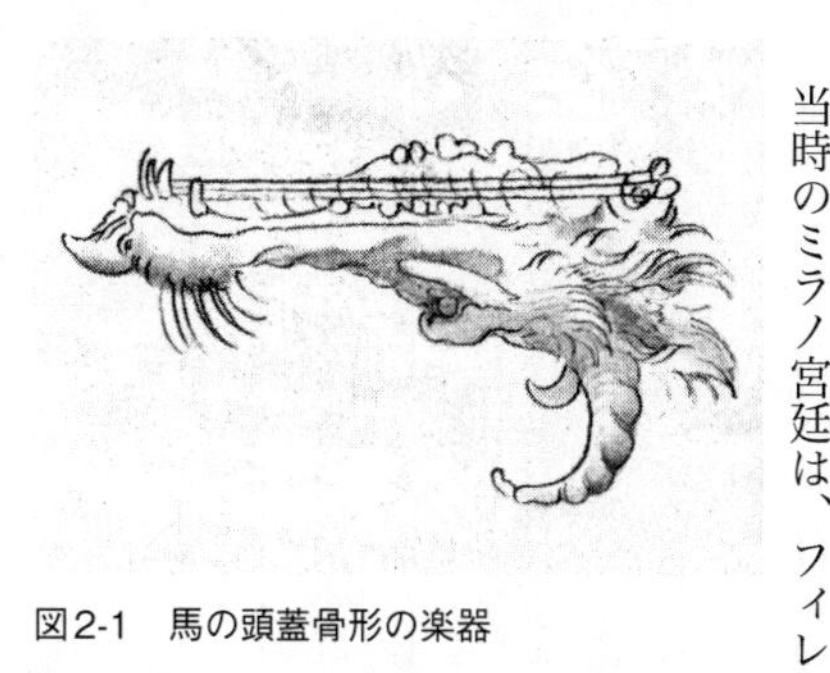

図2-1　馬の頭蓋骨形の楽器

当時のミラノ宮廷は、フィレンツェやマントヴァ、フェッラーラなどの文化都市とならぶヨーロッパ有数の音楽・演劇の中心地だった。とりわけ先代の領主ガレアッツォ・マリア・スフォルツァは音楽愛好家として知られ、一四七〇年代に数多くの著名な音楽家、詩人、演劇人たちを雇った。そして一四七六年にガレアッツォの実質的な後継者となった弟のロドヴィーコは、権謀術数で知られるしたたかな君主だったが、彼も音楽や演劇などの祝祭に強い関心を示した。というより、それが当時の君主のステイタスだった。したがってフィレンツェのロレンツォ・デ・メディチが音楽家や高価な楽器をミラノ宮廷に進呈したのも、同盟や友好関係を結ぶ手段としてごく自然な政治的配慮だったのである。

宮廷画家になるための布石か

それにしても、ガッディアーノ、ジョヴィオ、ヴァザーリのいずれもが、レオナルドが音楽家としてミラノ宮廷に招かれたことにしか言及していないのはじつに妙である。ヴァザーリは楽器製作という美術的な仕事の範疇に触れてはいるが、それでもレオナルドが画家としてミラノに赴いた形跡については語っていない。

では、レオナルドは音楽家としてミラノに赴任したのだろうか。いや、伝記にしたがえば、レオナルドはあくまで楽器を献上して演奏する目的でミラノに行ったのであり、だとすれば、宮廷音楽家になるどころか、ごく短期的な滞在目的にすぎなかったかもしれないのである。

少なくともこのミラノ行きの時点では、宮廷での長期的な地位がミラノ領主によってレオナルドに与えられたとする証拠はない。というのも、たしかにこれ以降レオナルドはミラノに住むことになるが、そもそもレオナルドがいつどのような旅程でフィレンツェからミラノに入り、当座どこに滞在していたのかはまったく不明である。ミラノ時代のレオナルドに関する最初の記録は、一四八三年四月二五日にミラノの無原罪懐胎信心会から《岩窟の聖母》の注文を受けた際の契約書である。それによればその当時レオナルドは、この祭壇画の共同制作者となるデ・プレディス兄弟というミラノ在住の画家の家に寄宿していた。つまり領主ロドヴィーコは、レオナルドの住む家を用意してはいなかったのである。

フィレンツェから公的な使節として派遣されたレオナルドは、客人として扱われ、ミラノ城内もしくは関連の場所に宿を与えられたとは思われるが、おそらくは、一連のセレモニーが終了すると、そのままミラノに居座って、仕事で知遇を得たデ・プレディスのもとに身を寄せ、住居およびアトリエを借用しながら、一介のマエストロとして活動を始めたのだろう。

レオナルド自身、楽器の献上とそれに伴う演奏という任を成し遂げたあとは、いずれフィレンツェに帰還しなくてはならないことを自覚していただろう。というのも、例の《東方三博士の礼拝》を知人に預けてフィレンツェを発っているからである。契約によれば、もし作品を完成させなかった場合には注文主である修道院に没収されるはずだった。したがってレオナルドがこの未完の板絵を修道院側に渡さなかったのは、首尾よくミラノに長期滞在することが叶わなかった場合には、フィレンツェに戻って《東方三博士の礼拝》の制作を続けるつもりだったからだと考えられる。

ともかくレオナルドとしては、まずは自作の楽器の進呈と演奏を契機に、ミラノに橋頭堡(きょうとうほ)を築く必要があった。そしていずれは宮廷画家としての地位を得ようと企んだのだろう。ミラノは音楽や演劇の面ではフィレンツェを凌ぐほどの文化都市ではあったが、美術の分野ではフィレンツェよりもはるかに後れをとっていた。大聖堂はいまだ建設途上で、市井の教会や公共建築、広場などにも主だった絵画や彫刻はなかった。そこでロドヴィーコ・スフォルツァは、フィレンツェに勝る文化都市を建設しようと美術面にも財を投じようとしていたが、レオナルドはそうした動向を鋭く感知し、まずは音楽の分野で宮廷に足を踏み入れ、徐々に美術面での活動の場を築いていこうとしたのだろう。

二　素描リストの意味

画家としての再出発、覚え書きから分かるそれまでの実績

とりあえずミラノに住む場所を得たレオナルドは、さっそく前述の無原罪懐胎信心会から祭壇画の仕事を取り付けることができた。そこでこれと並行して彼がとるべき行動は、自らの力量や才能をミラノ領主にアピールすることである。だが、それはかならずしも容易なことではなく、ミラノの要人たちに画家として認められるまでには、まだしばらくの苦労を強いられるのである。

現在ミラノのアンブロジアーナ図書館に、「アトランティコ手稿」と呼ばれる一一一九枚の紙葉からなるレオナルド直筆の手稿が保管されている。これはレオナルドが一四七八年頃から一五一八年頃にかけて携帯していたノートで、その第八八八紙葉表頁に、素描やスケッ

チのリストの覚え書きがある。そこには彼がまだフィレンツェにいた当時の仕事に関連する項目が見当たるため、ケネス・クラークやジローラモ・カルヴィといったレオナルド研究者らによって、この覚え書きはおそらくレオナルドがフィレンツェからミラノに携えていった素描類のリストだったろうと考えられている。その内容は、フィレンツェで二〇代を過ごしていた当時のレオナルドの活動ぶりをうかがい知ることができる点で興味深い。なお、このリストには単語が記されているのみで、日本語に訳した場合に単数・複数などのニュアンスが伝わりにくいため、私なりに補足的な語句を［　］に付した。

実物から写生された多くの花。
縮れた髪［もしくは巻き毛］の人物［性別不詳］の頭部、正面。
いくつかの聖ヒエロニムス。
人体の［各部の］寸法。
窯炉の素描［複数］。
公爵の頭部。
群像の素描多数。
聖天使の板絵のための四つの素描。
ジローラモ・ダ・フェリーネ［フェリーニョ］の小さな物語絵。

キリスト頭部のペン画。
聖セバスティアーノの八つの素描。
[複数の]天使を構成した多くの素描。
一つの玉髄[装飾に用いられる貴石の類]。
美しい髪をした横向きの頭部。
透視図法で描いたいくつかの人体。
船のためのいくつかの道具[機械類]。
水のためのいくつかの道具[機械類]。
顔を上げるアタランテの頭部の肖像。
イエロニモ[ジローラモ]・ダ・フェリーニョの頭部。
ジャン・フランチェスコ・ボーソの頭部。
多くの老婦人の咽喉部。
多くの老人[男性もしくは男女]の頭部。
多くの裸体、全身。
多くの脚、腕、足、および姿態。
完成した聖母像。
ほぼ完成した聖母像、横姿。

昇天する聖母の頭部。
顎の長い［突き出た］老人の頭部。
ジプシー［女性］の頭部。
帽子をかぶった頭部。
形態を成した［陰影をつけて立体的な形状で描いた］キリストの受難。
髪を結った少女の頭部。
きれいに髪を結い上げた頭部［女性もしくは前出の少女か］。

これらのリストを見てまず気がつくことはなにか。それは、レオナルドの単独制作によるまとまった作品が見当たらないことである。ここに挙げられているのは、ほとんどが習作に属する素描やスケッチの類ばかりなのである。

いまだ業績がなかったレオナルド

このリストにある諸項目を見て分かるように、はなはだ残念なことだが、当時のレオナルドには画家としての目立った業績がなかった。もっとも二五番目には「完成した聖母像」、そして二六番目には「ほぼ完成した聖母像、横姿」という項目がある。そしてレオナルドはある素描の中に「一四七八年九月、二枚の聖処女マリアを描きはじめる」というメモを残し

図2-2　《受胎告知》

ているこ とから、たしかに彼はフィレンツェ時代に聖母子画を手掛けたものと考えられている。だがこのメモに記された「二枚の聖処女マリア」と、前記のリストにある「完成した聖母像」および「ほぼ完成した聖母像、横姿」が意味する作品については異説があり、いまだ特定できていない。

フィレンツェ時代にレオナルドが聖母を描いた作品として候補に挙がるのはウフィツィ美術館の《受胎告知》（一四七五年頃）、ルーヴル美術館の《受胎告知》（一四七八―七九年）、《カーネーションの聖母》（一四七八年頃、ミュンヘン、絵画館）、エルミタージュ美術館の《ブノワの聖母》（一四七九年頃）および《リッタの聖母》（一四八三年頃）である。だが、ウフィツィ美術館の《受胎告知》（図2―2）以外の作品は、いずれもレオナルドの直筆か否かについて異論があり、決着を見ていない。

それはともかく、いずれにしてもレオナルドが胸を張って自ら単独で完成させたといえる作品をいまだほとんど手もとに用意していなかったのは事実である。当時の画家にとって社会的な業績となる仕事は、祭壇画のような大型のモニュメンタルな作品の制作であり、たとえ上記の作品がレオナルドのものだとしても、いずれも個人的な注文による小品にすぎない。ルーヴルの《受胎告知》にしても、長い間ドメニコ・ギルランダイオの作とされてきており、今日ではレオナルドの作品と研究者らの意見が一致しているものの、いつ誰の注文で制作されたかなどは不明である。

リストの中にただ一点「完成した聖母像」という項目があるが、それもはたして板絵として完成していたのか否かは明らかではない。頭部や衣服、腕や手といった部分習作ではなく、陰影を施して立体的に描いたカルトーネ、すなわち下絵素描だったかもしれず、だとすれば、デッサン状態がほぼ完成して、あとは彩色を施すばかりだったという意味にも解釈できる。

部分的習作の列挙

そのほか、一見したところ一つの絵画作品と思われる項目がいくつかある。たとえば「いくつかの聖ヒエロニムス」である。たしかにレオナルドは一四八二年頃、すなわちちょうどフィレンツェ時代の終わり、例の《東方三博士の礼拝》を手掛けていた時期に、この主題による板絵を制作していた形跡があるからである。

現在ヴァティカンの絵画館にレオナルド作とされる《聖ヒエロニムス》が収蔵されている（図2-3）。一〇三×七五センチメートルという小品だが、解剖学的な知識に基づいた人体の描写、暗い褐色や緑による筆致、明暗法による量感の表現、そしてまさに未完成の状態にあることなど、あらゆる点でウフィツィ美術館の《東方三博士の礼拝》と共通する特徴が見られる。したがってこの板絵は、一八二〇年に偶然ローマの古道具屋で家具の一部に使われていたのを発見されたという素性のはっきりしない作品であるにもかかわらず、これまでレオナルドの真筆であることを疑われたことがない。

リストの中に「いくつかの聖ヒエロニムス」とあることから、レオナルドがこの未完成の板絵をミラノに持参したのではないかという推測も可能である。つまり「いくつか」の中に板絵も含まれていたのかもしれないのだ。だが、いずれにしてもレオナルドがミラノに着いた頃には、彼の手もとに完成された聖ヒエロニムス像がなかったことは疑いえない。そして結局この板絵は、完成されることなく今日にいたっているのである。

それはさておき、この素描リストにはほかに「ジローラモ・ダ・フェリーネ「フェリーニョ」の小さな物語絵」という項目がある。これについては現存作品との照合はまったく不可能で、記録や資料も現存しないため、なにが描かれていたのかも不明であるが、このジローラモ・ダ・フェリーネなる人物は、さらにもう一度このリストにその名が挙がっている。「イェロニモ［ジローラモ］・ダ・フェリーニョの頭部」という項目である。おそらくこの名

図2-3 《聖ヒエロニムス》

をもつ人物の肖像だろうが、これも現存しない。レオナルドはここで「頭部」という語を使っているが、それは人物の頭部を描いたものという程度の意味であり、それだけでは、ある人物の独立した一枚の肖像画のことをいうとは解釈できない。このリストにはほかに「公爵の頭部」、「顔を上げるアタランテの頭部の肖像」、「ジャン・フランチェスコ・ボーソの頭部」などと、実在する特定の人物の頭部を指す項目がある。とくにアタランテの場合は「頭部の肖像」と記してあるものの、やはり完成された肖像画とはみなしにくい。

この「頭部」という語はこれら以外に「多くの老人の頭部」、「昇天する聖母の頭部」、「顎の長い［突き出た］老人の頭部」、「ジプシー［女性］の頭部」、「帽子をかぶった頭部」、「髪を結った少女の頭部」、「きれいに髪を結い上げた頭部」という項目にも使われていることから、いずれも人物の頭部を描いたスケッチあるいは素描の類と考えられる。

いずれにせよ、繰り返すようだが、このリストを見るかぎり、レオナルドには画家として高い評価を得られるような業績をミラノ宮廷で披露することはできなかった。フィレンツェで公共性の高い作品を制作してすでにある程度の評価が得られていたならば、そのことを堂々とミラノ領主にプレゼンテーションしたはずである。もちろんそうした作品をミラノに携えていくことは不可能だが、少なくともフィレンツェでこれこれの仕事をしたということを告げることは可能だし、またそのための素描や下絵をこのリストに加えてしかるべきである。だが、このリストには目立った実績は見られない。ボッティチェッリが《東方三博士の礼拝》の成功によって教皇シクストゥス四世に見込まれたといったような状況とは異なり、レオナルドにとっては、画家として華々しくミラノ宮廷に招かれるような待遇などは期待できなかったのである。

リストに見るレオナルドの志向あるいは趣味

フィレンツェ時代に職人としての堅実な道を歩んでこなかったことは、レオナルドにとって大きなマイナスだった。画業に専念せず、自らの興味の赴くままにあれやこれやに手を染め、そのため彼は職業画家としては異端児的な存在となる。だが一方で、むしろレオナルド自身それを良しとし、単に祭壇画や肖像画を描くことに飽き足りなかったがゆえに、保守的なフィレンツェを離れて、自らの好奇心や想像力を活かすことのできる都市を選んだのだともいえる。

そうした彼の志向は、このリストからもうかがい知ることができる。すなわち端的に言えば、祭壇画など当時の社会が求める一般的な絵画からすると、やや特殊なモティーフや題材がこのリストには挙げられており、たとえば今日の油絵画家など、いわゆる「画家」というイメージからは逸脱した傾向が見られるのである。

たとえばここに「実物から写生された多くの花」という項目がある。たしかにレオナルドは数多くの植物のスケッチや素描を残している。さらに彼は植物の形状や生態について科学的な観察をも行っている。そのためレオナルドを植物学者と見る向きもあるほどである。

だが、いまだ風景画や静物画という独立したジャンルが存在しなかったレオナルドの時代では、草花や樹木は祭壇画や肖像画のいわば小道具として描き添えられるものにすぎず、いまだそれ自体で鑑賞される絵画の主題とはなりえないものだった。だからといって花の描写をおろそかにすることはできなかったし、ボッティチェッリなども《春》ではおびただしい数と種類の草花を克明に描いている（図1-3）。そしてレオナルド自身が『絵画論』の中で、画家は万物を描くことができなければならないと述べ、風景をないがしろにしてはならないと語っていたことは、本書でもすでに触れたとおりである。

とはいえ、いくら種々の花を描いてみせたとしても、それでもって祭壇画などの大きな仕事ができるだけの能力を示すことにはならない。レオナルドが多くの花、しかも図案化された花ではなく、実物から写生した花の素描をここにリストアップしているのは、ひとえに彼自身がその種の対象に強い関心を抱いているためであり、画家を雇う者の意向を考えてのこととは思われない。

つぎに「人体の寸法」だが、これは人体比例に関する図解的なスケッチと思われる。すでにフィレンツェ時代から、レオナルドは人体や馬のプロポーションに関する観察研究を行っていた。そして彼は人体比例という幾何学的観点ばかりでなく、解剖学という構造的・医学的な観点からの研究の必要性をも認識していた。「多くの老婦人の咽喉部」、「多くの裸体、全身」、「多くの脚、腕、足、および姿態」などはそうした解剖学的な傾向を示す素描と考えられる。

これらの素描は、対象物をありのままに視覚化するという自然主義絵画の路線を推し進めようというレオナルドの意志の表れである。もっとも、このリストを見せられた者が、正確な再現性よりも装飾的な美しさを絵画に求めるような人間であれば、こうしたスケッチや素描にはさほど興味を抱かないだろう。つまり頭部、腕、咽喉部などを描いた素描をいくつも見せられて、はたしてミラノの宮廷人たちが関心を示したかどうかははなはだ疑問なのである。

素描リストの偏った傾向

レオナルドには、奇妙な動植物や物体などに対して偏執的な愛着を示す傾向がみられることは、すでにこれまでにも指摘されている。その原因として、孤独な少年期を通して形成された屈折した性格や、内に秘めた残虐性なども取り沙汰されてきた。彼はグロテスクな戯画や奇怪な動物のスケッチなども好んで描いている。

また、決して奇妙とまでは言えないものの、複雑な形状を微細に描写することにもレオナルドは強い好奇心を示している。たとえばこのリストには「縮れた髪「もしくは巻き毛」の人物の頭部」、「美しい髪をした横向きの頭部」、「髪を結った少女の頭部」、「きれいに髪を結い上げた頭部」といった項目がある。これらに類するレオナルドの素描がいくつか現存しているが（図2-4）、そこには髪の毛の曲線に対する彼の関心が表れている。

レオナルドは複雑な曲線の美的な性質に対して関心を寄せていたのではなく、曲線のもつある種の力学のなかに、植物の形態や水や空気の運動、機械の回転など、万物の本質といったものを洞察していた。そうした彼の自然哲学がこうした頭髪の素描に託されているのだ

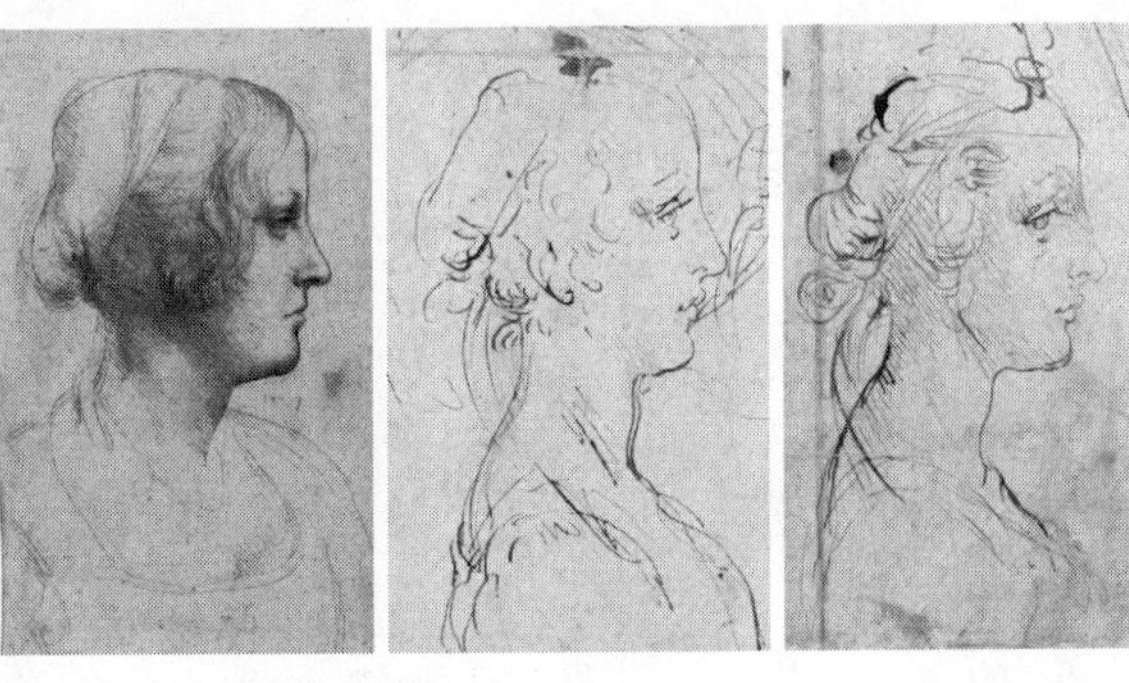

図2-4　女性の髪型の素描

が、これについてもはたして宮廷人たちがスケッチを見てすぐに納得できたかどうか。

もっとも、当時の美術家たちは、いわばデザイナーとして種々の装飾的仕事をもこなさなければならず、宮廷婦人たちの服飾やヘアスタイル・デザインを手掛ける機会もあった。これら頭髪を描いた素描は、むしろそうした側面からの関心を呼んだかもしれない。その後、レオナルドは宮廷美術家として各種の催事に携わり、数多くの美的娯楽を提供していくことになるが、そうした活動を彼自身が望んでいたか否かはともかくとして、その種の需要に応じることが、ミラノ宮廷で生きるための必須条件であることを彼が自覚していたことは確かである。

そうであれば、これらの素描リストに、そうした需要に向けた宝飾品や服飾のデザインに関する項目が含まれていてしかるべきだが、レオナルドはそのような見本を用意してはいない。やはり彼の興味の対象にある種の偏向がみられることは否めない。それにやや中途半端でもある。たとえば「一つの玉髄」という項目がある。装飾品の材料となる貴石の一種を描いたものと思われるが、これなどは宝飾品として完成されたものではなく、原石を克明に描写したものだろう。完成品ならば「指輪」や「首飾り」といった用語がリストに記されたはずである。おそらくレオナルドは玉髄の装飾的な側面を描こうとしたのではなく、鉱物の形態や結晶などの複雑な幾何学的性質、あるいは表面構造によって生じる光学的な現象などを緻密にスケッチしたのだろう。このように咽喉部、巻き毛、玉髄など、俗な言い方をすれば、このリストにはレオナルドのマニアックな性向が表れているのである。

透視図法と機械工学

ところが、特殊な対象物への執着は、なにもレオナルドに限ったことではなかった。フィレンツェの画家パオロ・ウッチェロ（一三九七―一四七五年）は透視図法に魅せられ、あえて複雑な幾何学形態を対象に選んでそれを精密に描写することに情熱を燃やしたことで知られるが、絵画に正確な再現性が求められた初期ルネサンス時代には、ブルネッレスキによる考案以後、透視図法の研究に従事する画家たちの系譜が存在し、レオナルドもその一人だった。ジョルジョ・ヴァザーリは『美術家列伝』の「ウッチェロ伝」の中で、透視図法に対する過度の固執ゆえにウッチェロをやや変人扱いし、あまり透視図法に凝りすぎた絵は全体の調和を欠き、芸術性にも欠けるといった主旨の警告をしている。だが、そうした常軌を逸するほどの探究心が透視図法の発展を促したのも事実である。

この玉髄のスケッチなどは、そうした脈絡に属する作例だったと思われる。また、このリストにある「透視図法で描いたいくつかの人体」などは、おそらく「短縮法」または「前縮法」と呼ばれる手法で描かれた人体スケッチで、建物のような直線で構成させる人工物と違って、人体のような有機的形態を透視図法で表すことがまだ難易度の高い技術であった当時、レオナルドがいかにその種の技量に熟達していたかを誇示するためには格好のサンプルだったのである。

このスケッチに続いて「船のためのいくつかの道具」、「水のためのいくつかの道具」といった機械類のスケッチが挙げられている。さらにこのリストの五番目に複数の「窯炉の素描」が挙げられているが、これも機械類の素描の一種であり、またブロンズ彫刻や大砲などの製造にも欠かせない装置である。これら機械類の素描またはスケッチをリストに挙げているのにもわけがある。それはレオナルドの機械工学関係の技師としての才能を示すためではあるが、ここでは機械類のアイディアそれ自体はもとより、そうした構造物を透視図法にのっとって精密に作図する技能を備えていることをもレオナルドは主張したかったのである。

芸術的目的の素描と、自然科学や機械工学に属するスケッチが混在するリスト。そこには宗教画や風俗画を描く伝統的な画家としてではなく、理工学的な分野に対する高い関心がみられるが、レオナルドはまさにそうした分野での活動を望んでミラノ行きを目論んでいた、と思われるふしがある。

自薦状の性格

ミラノ行きに際してレオナルドが書いたとされる自薦状の下書きが、先ほどの素描リストと同じ「アトランティコ手稿」の中に含まれている。はたしてレオナルドが実際にこの書状をロドヴィーコに差し出したかどうかは分かっていないが、少なくとも彼への意思表示を模索していたことは確かである。この草稿は次のような書き出しで始まる。

聡明なるわが閣下、私は兵器の名匠や製作者を自任するすべての者たちの試みをつぶさに観察し検討致しましたが、彼らの発明や装置類の働きがふつうに使用されるものと大してかけ離れたものではないことが分かりました。そこで私は他の誰にも秘密に、ただ閣下お一人に、私の秘策の数々をご披露したいと存じます。

この前置きに続いて、レオナルドは発明品や秘密兵器の類を列記しているが、それらを簡潔にリストアップすると以下のようになる。

1　ひじょうに軽く強い橋。携帯可能な橋。堅牢で壊れにくく、運搬可能な橋。敵の橋を破壊する方法。

2　敵陣包囲の際、水濠（みずぼり）から水を取り除く方法。無数の橋、舟艇、梯子その他の道具類の製作。

3　高い位置や堅牢な場所にある敵の城郭や要塞を破壊する方法。

4　携帯、運搬が容易な大砲。散弾を発し、煙で威嚇し、損害と混乱を敵に与える。

5　音を立てずに秘密の坑道（こうどう）をつくる方法。

6　破壊不可能な覆蓋（ふくがい）戦車。敵陣に突入することにより、無傷のまま歩兵がそれに続くことが可能。

7　かつてないほど美しく有用な大砲や火器類の製造。

8　大砲の使用が不可能な場合に備え、投石器その他の兵器類の製造。

9　海戦用に、いかなる大砲や火薬や煙にも耐えうる船の建造。

10　平和時には、他に類をみない建築、水利設備の建設。

11　大理石、青銅、および粘土による彫像の制作。

12　誰にも劣ることのない絵画の制作。

13　閣下の御父君およびスフォルツァ家の名誉に相応しい青銅の馬像の制作。

　ここでレオナルドは軍事兵器類の工学技師もしくは発明家としての才能を強調し、最後に建築家・彫刻家・画家としての才能を引き合いに出しており、したがって当時の軍事大国ミラノで登用されるには、軍事面での自らの働きをアピールすることが最適とレオナルドが判断したらしいことがこれまで指摘されてきた。だが、はたしてここに掲げられた諸項目を実際に製造するだけの力量をレオナルドが備えていたのか、あるいはしかるべき目算があったのかについては、はなはだあやしいところである。

　たしかに師ヴェロッキオは画家・彫刻家・彫金家であると同時に、種々の機械や装置類をも手掛ける総合的な製造業者だった。したがってレオナルドが彼のもとで、技師としての教育をも受けていただろうという点については、これまですでに定説となっている。フィレンツェ時代の彼は、この書状の前書きにあるように、先達が製造した種々の建造物や機械、兵器類について学び、自ら研究していたことだろう。

　そしてレオナルドには、ミラノ侯が所望すれば、いつでもこれらの秘策を実演して見せる用意があったようである。ならばレオナルドは、すでにこれらの兵器や発明品の設計図などを準備していたのだろうか。いや、実際にはアイディアやコンセプトを若干数はスケッチなどに表していただろうが、大半はまだ彼の頭の中でイメージされていただけだったと思われる。

　そもそもこの書状はあくまで自薦状である。レオナルドがいくらこうしたアイディアを頭の中で温めていたにせよ、彼にはそれらの工学機器類を製作した実績がない。レオナルドがフィレンツェで軍事兵器開発に参画したり、土木事業に従事していたという記録は現存しないのである。せめてフィレンツェでその分野でのしかるべき経験を積んでいたのであればよいのだが、工学技師としての基礎的な実績すらプレゼンテーションできなければ、たとえ発明や秘策を有していたとしても、評価のしようがない。手もとにあるのが、先の素描リストと同様、わずかな機械類のスケッチだけだったとすれば、いまだ無名の職人が最新の秘密兵器を開発してみせますと進言したところで、いったい誰が軍事兵器の開発という国防上最も重要な部署にそのような人物を採用するだろうか。たとえ優れたアイディアをもっていたとしてもである。

書状の文面はいかにも自信にあふれており、レオナルドがすでにこれらの構想をフィレンツェ時代から練っていたことは疑いないだろう。しかし、少なくともレオナルドがミラノ侯に宛ててこの書状をしたためた時点では、まとまった具体的な資料を提示する用意はなかったのである。レオナルドがこれらの項目を実際に製作し、実験してはいなかったことはたしかであり、あくまで机上のプランにすぎなかった。そしてレオナルドのこの種の楽観主義は、軍事大国であり技術大国でもあったミラノの地で、現実の厳しさを思い知らされることになるのである。

三　技師・発明家・建築家としての真価

軍事技術大国ミラノ

レオナルドはヴェロッキオ工房で工学的な理論や技術を学び、とりわけその方面に強い関心を抱いていたようである。したがって彼がミラノを目指したのは、この地が中世以来、武具馬具などの生産で知られる一大産業都市だったからである。ここでならば技師・発明家としての自らの才能を活かすことができる。彼はそう考えたにちがいない。自薦状に機械や兵器類のアイディアを優先的に列挙したのは、ミラノが技術大国であることをレオナルドがよく知っていたからにほかならない。

だが、ミラノにはすでにヨーロッパ各地から優れた技師たちが集まって腕を競っており、ミラノはレオナルドにとっては厳しい試練の場でもあった。たとえレオナルドに軍事兵器や機械類のアイディアがあったとしても、それらを製作する機会にたやすく恵まれるほど甘くはなかった。実際、レオナルドの発明品の数々が実現され、実戦配備されたという事実はない。それはおそらく彼のアイディアが空想的で、当時の技術水準や戦略にそぐわないものだったからだろう。

レオナルドが自薦状でアピールするような新兵器、秘密兵器の類は、いかにも驚異的な威力を発揮しそうだが、幻想的で実用性に乏しく、しばしば遊戯的ですらあった。新奇ではあるが、現実の戦場で切実に求められるほどの効能は認められない。それに、そもそもレオナルドには実戦経験などなかった。では実際に彼の発明した兵器類をいくつか見てみよう。そうすれば彼のアイディアが、実戦にはいかに不向きであったかが分かる。

回転式の大鎌を備えた二輪戦車

レオナルドは、回転式の大きな鎌を装備した二頭立て戦車を考案している。二種類の戦車のスケッチが描かれており、一方は二頭の馬が大鎌のついた攻撃用装置を牽引(けんいん)するタイプで、他方は回転式の鎌が馬の前方に飛び出しているタイプである（図2-5）。どちらも基本原理は同じで、戦車が疾走すると車輪の回転がシフトに伝わり、大鎌が水平方向に回転し、敵の歩兵たちを大鎌によってつぎつぎに薙(な)ぎ倒していくという仕組みである。

しかしはたしてそれほど容易に敵兵を大量に倒すことができるのだろうか。四枚の大鎌を回転させ、しかも複数の人体を瞬時に切断するには、かなりの回転力が必要だと思われる。そのためには戦車の車輪がしっかりと大地をとらえ、そのエネルギーを鎌に伝えなければならない。なるほど車輪が空転しないよう、爪状のスパイクが取り付けられている。さすがはレオナルドである。だがほかに種々の問題があるようである。

まずは馬だが、よほど強靱(きょうじん)でなければ、武装して林立する兵士らの隊列を粉砕しながら前

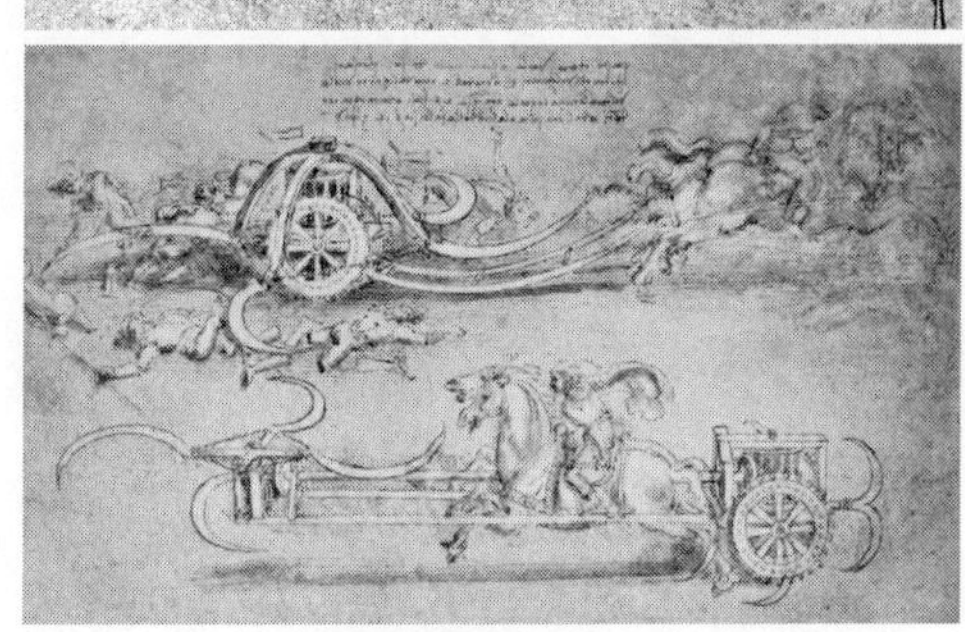
図2-5　二頭立て戦車の素描

進することは不可能だろう。また車輪と車輪の間隔が狭すぎるようである。回転が一方向に限られる点も気になる。これでは馬がバランスを崩して横転する危険がある。横転まで行かなくとも、戦車が傾けば大鎌が地面に食い込んでしまう。そうなれば戦車は前進できなくなるか、反動でやはり転倒するだろう。大鎌が地面に激突した勢いで戦車が大破する危険性も考えられる。そうした事故を防ぐには戦車に安定性をもたせるために車輪と車輪の間隔を広げるなどの必要があるだろうが、そうすると全体としてじつに大掛かりな戦車になってしまう。そうなれば車幅が広くなって方向転換しにくくなるため、かえって身動きがとれず、機動性を減じることになる。

また大鎌を牽引するタイプの戦車では、まず馬が敵陣に突撃し、敵兵たちの間隙（かんげき）を突破したあとに戦車の後方にある大鎌で敵兵たちを薙ぎ倒すことになっているが、その前に馬と騎士がまず敵兵に討たれてしまっては元も子もない。その点では、大鎌を馬の前方に装着したタイプのほうが有効だろう。こうすれば突進する馬の前方でまず敵兵を倒すため、進路を確保しながら同時に敵兵たちを一掃することができる。だがこの装置を支えるのは、馬にとってかなりの負担になるだろう。馬がつまずいたりすれば、大鎌は地面を叩き、装置が壊れれば馬と騎士がそれに巻き込まれることになる。

視覚的にはじつに残酷な兵器

さらに疑問なのは、大鎌がさほど容易に人体を切断できるかどうかという点である。大勢の敵兵が集合して盾を構えて備えたり、縦列編隊を組んでいる場合はどうだろうか。人体は意外に強靱である。何体もの人体を切断すれば、刃こぼれもするし、血や脂も刃に付着する。鎌の切れ味はすぐに悪くなるだろう。倒れた兵士たちの人体も走行を妨害する。死体を巻き込み、やはりその反動で横転するなど、いずれ戦車の走行は阻止されることになるだろう。

とはいえ、少なくとも威嚇的効果はあると思われる。こんな兵器が突進してくれば、敵の兵士らは恐れをなして逃げまどうことだろう。だが、すぐにこの兵器の弱点は見破られるはずである。この戦車が突進してきたら、とにかく横方向に逃げてかわせばよい。この戦車は急な方向転換をすることはできず、急に曲がろうものならばすぐに横転することになるだろうし、急停止しようにも大鎌の回転が惰性を生むためにすぐには止まれないはずである。もたもたしている間に反撃すればよい。あるいは、この戦車がこちらの陣営に突入してくる前に、矢を浴びせて馬か騎士を射止めれば、攻撃を未然に防ぐことも可能だろう。

そもそも基本的な問題は地面である。石ころなどででこぼこした地面ではサスペンションのない戦車はじつに激しい振動や上下運動によって不安定となるし、ぬかるみは致命的となる。また草や低木が茂っている場所では走行できない。つまりこの戦車の走行に適した場所は、舗装整備された道路であって、戦場ではないといえよう。

もともと馬の引く二輪戦車（シャリオット）は、紀元前一八〇〇年頃ヒッタイト人によって発明され、その後ヒクソス人によってエジプトに伝えられた。が、二輪戦車は兵士が移動するためのものであり、大鎌などの複雑な機構を備えた攻撃装置ではなかった。乗り物としてならば多少でこぼこした地面の上でも走ることができるが、古代メソポタミア地域は高い文明を誇り、かなり平坦な道路が整備されていた点を忘れてはならない。また、二輪戦車はローマ時代にも活躍したが、それもやはり高度な道路網が整備され、幹線道路はすべて舗装されていたからである。

中世やルネサンス期では市街地ですらまだぬかるみが多く、戦車の実利性はなかった。都市国家に分かれている状況では、都市間を結ぶ道路網は整備できない。したがって二輪戦車部隊を編制したところで、その機動力を十分に発揮することはできない。また中世以降は人が直接馬に跨るための馬具や乗馬法が発達したため、戦術としては騎馬戦が主流になった。よく訓練された騎馬や歩兵のほうが機動性に富んでいたのである。ちなみにレオナルドの大鎌付き戦車では戦車本体に御者が乗らず、戦車を牽引する馬のほうに騎手が乗っているが、それはこうした当時の状況の反映である。当時のヨーロッパには戦車どころか人が乗るための馬車すらなかった。馬車はあくまで貨物を運ぶための荷車であり、移動の際には、人は荷車ではなく馬の上に乗るのがふつうだった。

おそらくレオナルド自身、こうした戦車が、アイディアとしてはユニークだが、現実的あるいは技術的な問題が多々あることには気付いていただろう。むしろ彼は、一種の遊びとしてこうした兵器を考案したのではないだろうか。このアイディアは祭りのハイライトで登場するパレードに向いている。実際、ルネサンス期における二輪戦車は、古代ローマへの憧れからルネサンス人たちが再現したローマ風の軍事兵器のイメージであった。レオナルドはそれにアレンジを加え、かつて栄えた祖先たちの偉大な文明を讃え、その復興を待望するミラノ人とスフォルツァ宮廷の威信に応える出し物としてこれを提供したのである。レオナルドのこうしたサービス精神と巧みな演出は、ロドヴィーコ・イル・モーロの虚栄心をさぞかしくすぐったことだろう。巷には荷馬車しかない時代である。こんな奇抜な攻撃用戦車は、当時の人々にとってはまさに未来の超新兵器であり、それこそSFの世界だったろう。

戦車——蓋付装甲車両

レオナルドは別のタイプの戦車のスケッチも残している（図2-6）。こちらは馬が引く古代風の戦車ではなく、装甲車体の中に人が乗り込んで走行するという近代的な戦車である。ただし人力である。乗員が手もしくは足でクランクを回して四つの車輪を回転させる。また乗員は車体に装備された銃で三六〇度あらゆる方向の敵を攻撃することも可能である。

しかしこの装甲車も、大鎌付き二輪戦車同様、やはり走行を可能にするためには、舗装された道路を必要とするだろう。したがって敵の側からすれば、この戦車の進行を妨げる方策はいくらでもある。垣根などのバリケードを設けておけばすぐに立往生する。頑丈そうな車体と車輪、そして銃器類などを人力で移動させるとなれば、あまりスピードは出せないので、大がかりなバリケードでなくとも、丸太を転がしておくだけで、車体が乗り上げて車輪が空転するだろう。塹壕（ざんごう）でも掘っておけば確実である。

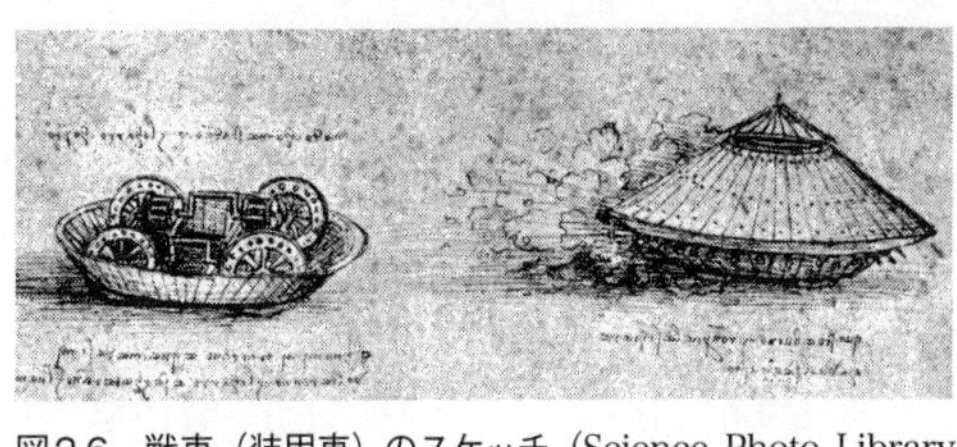

図2-6　戦車（装甲車）のスケッチ（Science Photo Library／アフロ）

る。まずはこの戦車を先陣に立てて突進させ、敵が怖じけづいて一瞬でも蜘蛛の子を散らすような効果が見られれば、そこを突いて一気に歩兵たちが突撃するといったところだろうか。

もっとも、これも大鎌付き二輪戦車と同様、威嚇効果としてならば期待がもてそうであ

機関銃——扇式と回転式の連発銃

「アトランティコ手稿」第一五七紙葉の表頁に機関銃のスケッチが三点描かれている（図2-7）。ただし兵器のメカニズムとしては二種類であると言ってよい。一つは、一〇丁の銃身を横一列に扇形に並べて、一度に一〇発の弾丸を扇状に発射するというものである。このスケッチにはレオナルドの鏡文字による書き込みが添えられており、冒頭に「Spingarde a organi」という語が書かれている。「Spingarde」とは一般に「ラッパ銃」と呼ばれる火器で、当時使用されていた単発式の銃のことである。「organi」とは「機械」「機関」「装置」の意味である。「a organi」で「機械式の」「機関の」という意味になり、したがって「Spingarde a organi」を「機関銃」と訳すことができる。とはいえ、今日の機関銃や自動小銃のように一丁の銃から弾丸を連続してつぎつぎに発射する方式ではなく、複数の銃を一度に発射するということであり、機関銃といってもかなり素朴なものである。

もう一方は、先の機関銃と同様にいくつもの銃身を横一列に並べ、さらにこれを合計三組

合体させたもので、一組目を発射したら三組ごとぐるっと回転させることで次の一組が発射態勢になるという仕組みである。なるほどかなり凝ったメカニズムなので、これら上下二点の銃は機関銃と言うに値しそうである。

ルネサンス当時の銃は単発式で、一発撃ち終えると、銃口からまず発射用火薬を入れ、次に弾丸を入れて棒で銃身の奥に詰め込むという仕組みになっており、これを前装式という。

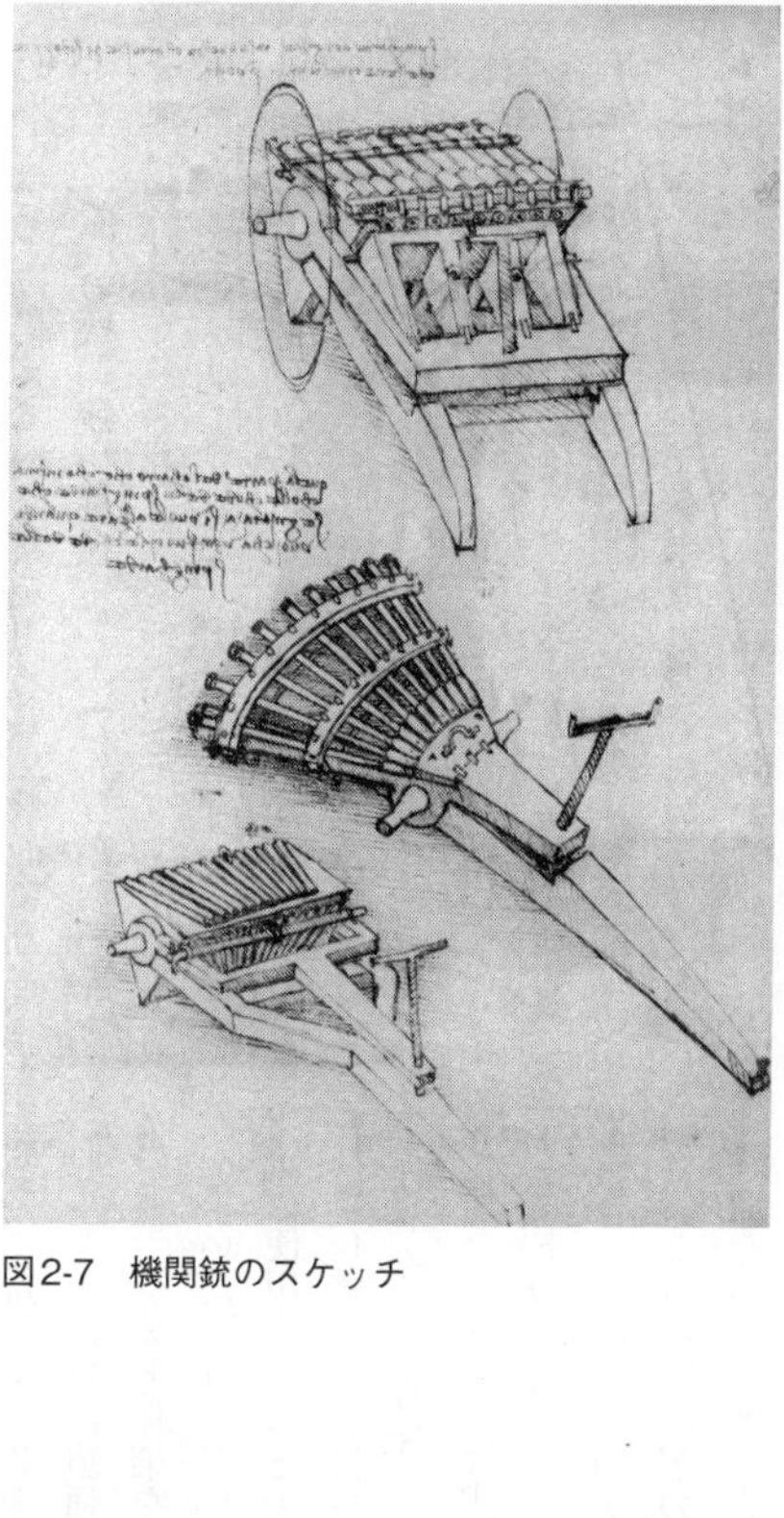

図2-7　機関銃のスケッチ

この場合兵士は構えていた銃を下ろして地面に立て、上に向いた銃口から装弾する。したがってこの扇形の機関銃の場合、いったん発射し終えたら、何本もの銃身に装弾するという作業を強いられる。その間は無防備になる。あるいは、一人の兵士が装弾作業をするのに手間取るというのであれば、複数の兵士が協力して弾を込めてもよいだろう。しかし、一台の機関銃に複数の兵士が弾を込めるのであれば、一人一丁ずつ銃を使用するのと大差はない。

こうした問題を解決するのが三組合体型の銃である。これにレオナルド自身の書き込みがあり、「この機関銃には三三発装塡し、一度に一一発ずつ発射する」とある。さらに、「この車体の"a"と記した部分と銃の列とが接合されており、これら銃の列を外側に引き出したいときに、この部分を持ち上げる」と書かれている。レオナルドの言葉が足りないのであまり要領を得ないが、要するにこの機関銃の本体を回転させることで銃列を順次発射位置につけることができるという意味である。しかし、実際のところ、この兵器がどのような操作により、どのように機能するのかはよく分からない。とくに疑問なのは装弾の方法である。それについては補足の図も解説もない。一つの銃列から一一発の弾丸を発射している間に、次の銃列に装弾するという要領だろうか。

とはいえ、先の扇形の機関銃同様、これだけの数の銃口に装弾するにはやはり時間と手間がかかる。ならば結局、これらの銃列をつぎつぎに回転させながら三度の発射で合計三三発の弾丸をすべて撃ち尽くした時点で、この兵器の役目は終わることになる。レオナルドの書き込みを読み直してみても、「三三発装塡し、一度に一一発ずつ発射する」と述べられているだけである。もし順次弾丸を装塡しながら連続的に発射するのであれば、その説明があってよさそうだが、そうした記述は見当たらない。おそらく三三発の発射が限度なのだろう。戦闘の際には三三発を撃ち終えた時点で歩兵たちに場をゆずるという戦法なのだろうか。もしくは同じ機種の機関銃を多数配備することも考えられるが、かなりの軍事費を要するだろう。それだけの効果が得られればよいが、むしろ一人一丁ずつ銃を持った兵士を多数配備するほうが確実ではないだろうか。

どうやらこの兵器は、一度により多くの敵兵を殺傷することよりも、むしろ多数の弾丸が轟音(ごうおん)とともに飛び出すという仕掛けによって敵を威嚇し、恐怖感を与えるという効果を狙ったものとみなすべきだろう。

超大型弩式投石機の視覚効果

「アトランティコ手稿」には巨大な弓のような兵器のスケッチも描かれている(図2-8)。クロスボウ、すなわち日本語で弩(ど)とか石弓(いしゆみ)と呼ばれる武器を大型化したような形をしている。強力な弓状のバネを台床に取り付け、巻き上げ装置を使って引いた弦を鉤(かぎ)状の弦受けに掛ける。そしてスイッチをハンマーで叩くと弦受けがはずれ、弦の中央に装塡された石がバネの力で勢いよく飛び出すという仕組みである。

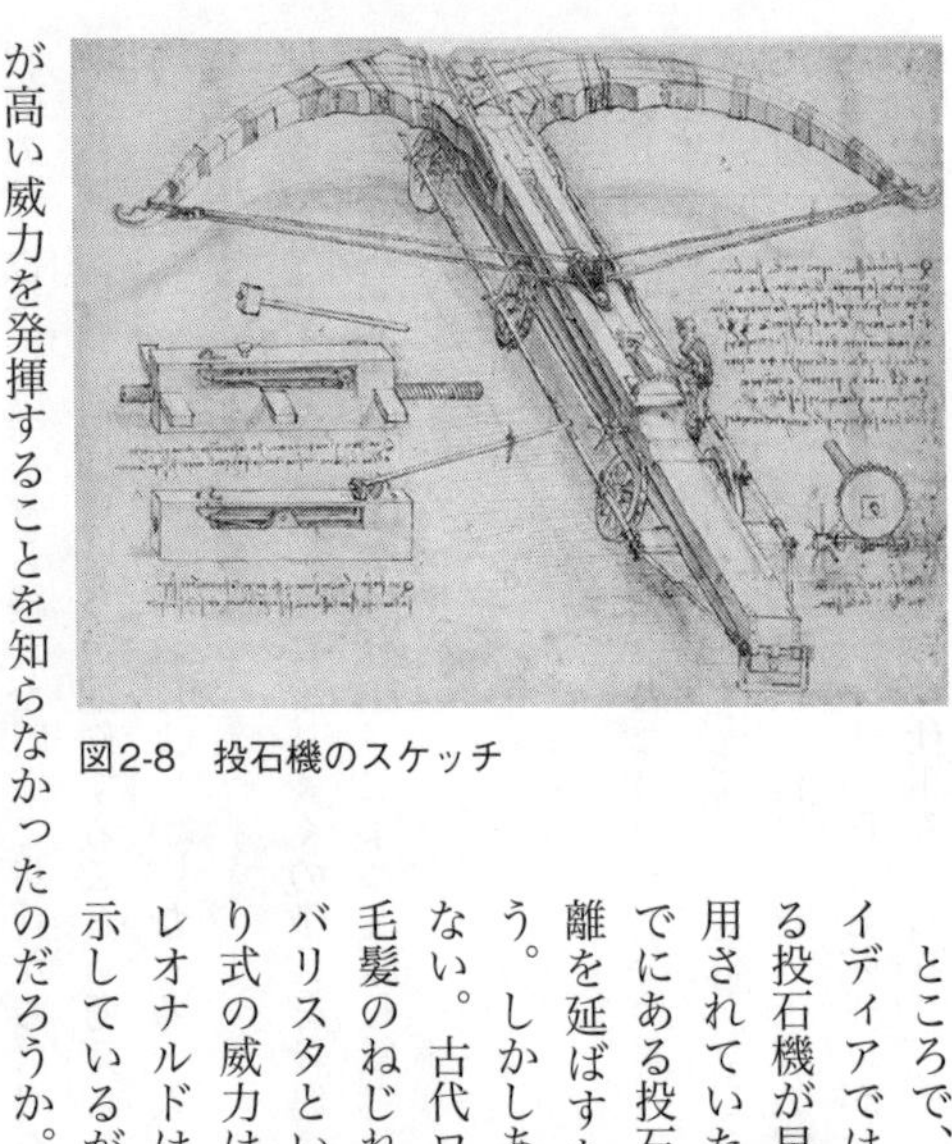

図2-8　投石機のスケッチ

ところで、これはレオナルドのオリジナルのアイディアではなく、じつは基本的に同じ原理による投石機が早くも古代ギリシア・ローマ時代に使用されていたのである。おそらくレオナルドはすでにある投石機の威力を増大させ、あるいは飛距離を延ばすために巨大化を図ろうとしたのだろう。しかしあまり効果的・効率的な装置とは思えない。古代ローマ時代にはバネ式のほかにヒモや毛髪のねじれによる弾性を利用したカタパルトやバリスタといったタイプも使用されており、ねじり式の威力はバネ式よりも勝っていた。ほかにもレオナルドはバネ式投石機の改良案をいくつか提示しているが、彼はバネ式よりもねじり式のほうが高い威力を発揮することを知らなかったのだろうか。

レオナルドは弓すなわちバネの部分を合板状にして強度の増大を図るという工夫をしたらしいが、ねじり式を上回るほどの威力は期待できず、むしろコストがかかることのほうが問題である。そもそもこの発射装置は大掛かりすぎる。このスケッチを見ると一人の兵士しか描かれていないため、じつに操作が簡便であるかのような印象を受ける。しかしながら、発射操作自体は簡単だとしても、六つの車輪で支えられた巨体を運搬するのにはかなりの人手が必要だろうし、装置を標的の方角に正しく向けるのにも、この車輪の構造ではかなり手間取るだろう。ちなみに同じ「アトランティコ手稿」には、同種の装置を数頭の牛に引かせるという案がスケッチされている（図2-9）が、それほど運搬と発射準備に多くの時間と労力を要するのも問題である。

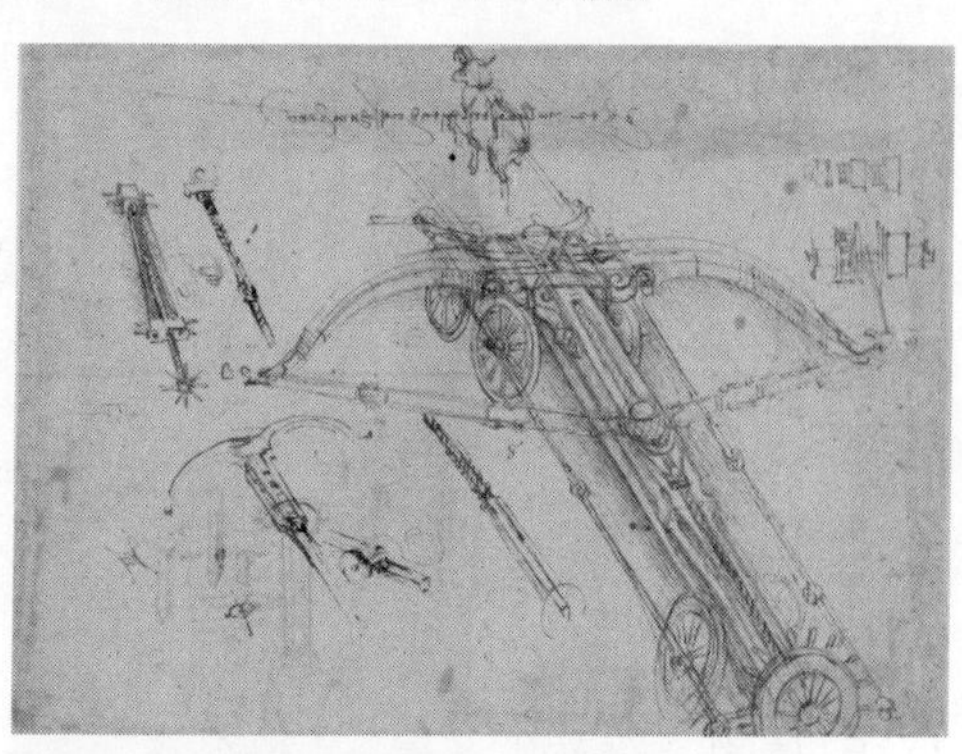
図2-9　投石機のスケッチ（Mondadori／アフロ）

陸上を走る船のような自動車

ここで、兵器以外の一例を見てみたい。同じく「アトランティコ手稿」に、レオナルドの発明品として有名な自動車のスケッチがある（図2-10）。動力はバネもしくはゼンマイのような仕掛けで、弓なりに曲げられた金属の弾性で車輪を回転させようというものである。しかしはたしてこの自動車は動くのだろうか。これまでこのスケッ

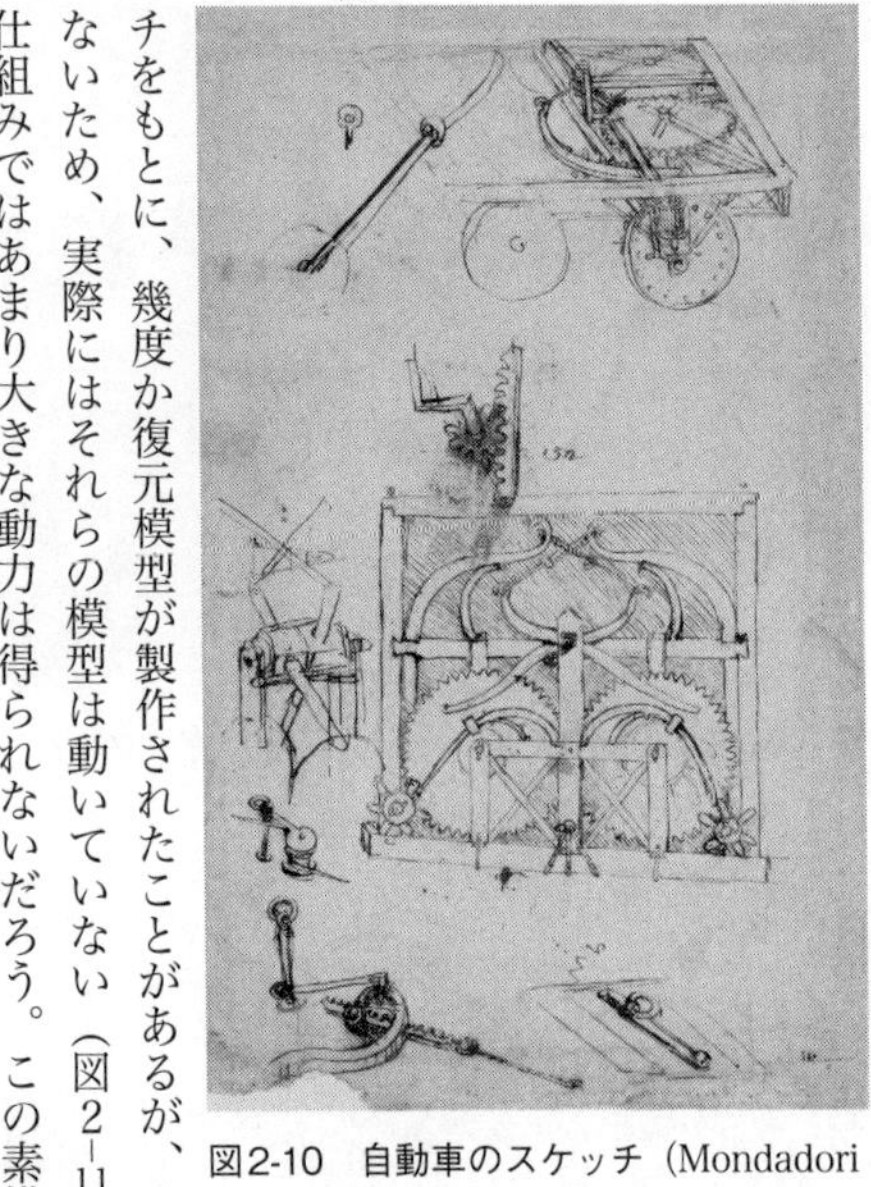

図2-10　自動車のスケッチ（Mondadori／アフロ）

チをもとに、幾度か復元模型が製作されたことがあるが、メカニズムの詳細が図示されていないため、実際にはそれらの模型は動いていない（図2-11）。たとえ動いたとしても、この仕組みではあまり大きな動力は得られないだろう。この素描のような車体では重すぎて、バネの弾性が負けてしまうか、あるいは発進したとしてもすぐに減速するはずである。

さらに問題なのはハンドルのメカニズムで、これがじつに粗末なもので、先端に車輪をつけた棹（さお）を金属の輪で車体に取り付けただけである。このような仕組みだと、ハンドルは左右に切るどころか、上下の角度も変えられるし、ひねって前後反転させることもできる。一見したところ自由度に富んでいるようだが、それはむしろ不安定というべきで、このハンドルで重い車体を左右に方向転換させるには、かなりの握力と腕力でしっかりこれを制御しなくてはならない。

図2-11　自動車の復元模型

このハンドルはまるで船舶の舵（かじ）のようである。車体を支える主要な車輪は三つで、したがってこの自動車は四輪車ではなく、むしろ三輪車と言ったほうがよい。そして車体を支える車輪は三つとも一定方向に固定されているため、車体は前方に直進するのみである。そこでこの舵のようなハンドル装置（舵輪（だりん））をつけて方向転換させようということだが、それならば車体の前輪は不要である。というよりもむしろこの前輪は邪魔であり、舵輪の機能を妨げる。車体を左右に方向転換させようとしても、本体の前輪が直進する力にこの舵輪が負けてしまうのである。かなり力強くこの舵輪を地面に押し付けなければ、おそらくこの舵輪はただ空転するだけで、車体はずるずると直進し続けるだろう。車体を方向転換させるにはそれこそ本体の前輪が浮き上がるくらいにしなければ舵輪の効果が得られない。だがいずれ舵輪を固定する金輪が抜けてしまうかもしれない。その意味でもこの前輪は不要だが、レオナルドはそこに気付かなかったらしい。

ところで、復元模型を見てみると、ハンドルは単に金輪に通すのみではなく、今日の自転車のハンドルのような仕組みによって安定が図られている。ちょうど現在の船舶の舵もこうした仕組みで船体に取り付けられている。しかしじつはこうした舵の構造は、古代中国で発明されたものといわれるが、ヨーロッパでは長い間用いられず、中世にはまだオール（櫂）を使って船体の方向転換を行っていた。おそらくレオナルドの時代にもミラノ市内や周辺の運河を航行する小型船舶はオールで舵取りをしており、レオナルドはそれをヒントにしたのだろう。

珍妙で面白い乗り物

現在の自転車や自動車では、ハンドルと連結された舵輪が車体を支える車輪を兼ねているが、レオナルドのこの自動車にはまだそうした工夫がない。ところですでに古代ケルト人はピボットの使用によって馬車の車軸を旋回させるという技術を用いていたが、ローマ人はそれを採用しなかった。しかし中世ヨーロッパではこのピボットも一部には普及していたのである。なぜレオナルドが自動車にこうした技術を応用しなかったのか不思議である。

もっとも、中世からルネサンスにかけては騎士道精神の時代であり、日常的な短い距離の移動においても、また長旅をする場合でも、馬に跨るのが男たちの美徳だった。それに馬車の構造や機能がまだあまり発達していなかった時代には、やはり騎馬での移動のほうが早かった。徒歩や馬車では一日せいぜい四〇キロだが、騎馬ならそれ以上は進めるのである。馬車は先述のようにあくまで荷物を運ぶためのものだった。もちろん一般大衆は旅をするにも徒歩である。ただし高位の人物が自らの権力や財力を誇示するために、豪華な馬車に乗ることもあったが、ひじょうにまれだった。

ミラノでこうした馬車が製作されるようになったのは、一三〇〇年代に入ってからで、ガレアッツォ・ヴィスコンティとベアトリーチェ・ディ・ヴァロワの婚礼の際に行われた市街パレードのときなどである。四輪馬車だが、車輪は木製でもちろんサスペンション機能などなかったので、乗り心地はきわめて悪く、パレードのような短時間の乗車なら我慢できるが、日ごろ愛用できるような乗り物ではなかったようである。馬車が乗り物としての全盛期を迎えるのはようやく一九世紀になってからで、したがってまだまだ馬車の構造や機能自体が矮弱（わいじゃく）だった時代にレオナルドの自動車がかなりおぼつかない代物であったとしても仕方のないことかもしれない。

もっとも、機能面を度外視すれば、やはりこの自動車はじつに面白い発想の乗り物である。なるほどその機構にしても当時の需要からしても、およそ実用化の見込みのない代物かもしれないが、馬を使わない乗り物で、しかも人力ではなく、バネ仕掛けという機械的な動力を使っているところは、まるで大掛かりな玩具のようで、さらには陸上の乗り物でありながらまるで船を操るかのようにして進む姿は、なかなか趣きがあって楽しい。風変わりでしかし妙に仰々しい機械的な仕掛けに凝っているところなど、催事の出し物としては大いに観客を沸かせそうである。さほどの走行距離は望めないのでパレードには不向きだが、演劇の舞台などで役者の登退場の際の小道具程度の使用には耐えられるのではないだろうか。

キャラクター・デザイナー、テクニカル・イラストレーターとしてのレオナルド

レオナルドの兵器にはどれも人間を殺戮(さつりく)する道具という陰惨さが感じられない。彼のアイディア・スケッチから受ける印象は、どこか楽しい思いつきといったものである。そしてとくに注目されるのは、装置のデザインとスケッチ自体の絵画的な美しさである。まるで未来的なテクニカル・イラストレーションかSF映画を彩るあの奇想天外で魅力的な機械やロボットなどの魅惑的なキャラクターを見ているかのようである。

装置のメカニズムについてのアイディアを図解することではなく、むしろ美しいマシン・イメージを絵にすること。このスケッチにおいてレオナルドが意図していたのはむしろそれではなかったか。仮想的な構造物をこのようにリアルかつ美的に視覚化するには透視図法に通じ、しかも芸術的才能やセンスを備えていなくてはならない。当時これほどの素描をものすることができる画家はほかにほとんどいなかったし、ましてやミラノの軍事産業に従事していた技師たちの描く図面などは、レオナルドのスケッチの足もとにもおよばなかったのである。

ここでさらに私は、そもそもレオナルドは学者や技師たちの構想を図示するためにミラノ宮廷に雇われていたのではないかと推測する。つまりミラノの為政者、技師、学者たちは、今日の言葉でいえば、レオナルドをテクニカル・イラストレーターとして扱っていたのではないか。イラストレーターはあくまで絵を描くのが仕事であり、科学者ではない。もちろん、科学者の構想をできるかぎり正確に視覚伝達するためには、それ相応の科学的知識が必要である。したがって科学的な分野に強いレオナルドは、ミラノの機械産業にとっては最適の画家だったはずである。

序章でも述べたように、これまでレオナルドの発明品とされてきたアイディアのいくつかが、彼の独創ではなく、ブルネッレスキやフランチェスコ・ディ・ジョルジョ・マルティーニといった先達たちによってすでに提示されているもののアレンジであることが最近になって判明してきている。

当時の技師たちは構想を図示することに慣れていなかったか、あるいは必要な場合に簡単な図面を用意した程度で、完成予想図を美しく仕上げるという習慣はなかったようである。したがって彼らのアイディアはほとんど今日に伝わっていない。ところがレオナルドは、優れた素描力によって自作他作を問わずおびただしい数のスケッチを制作し、それらが現存している。そのためにレオナルドが残したスケッチに描かれた機械類がレオナルドの発明によるものとされてしまったが、実際にはレオナルドのオリジナルではない場合が少なくない。そのあたりにいまだ解明されていない真相がありそうなのである。

もとより、私はレオナルドの発明の才を疑うわけではないし、彼の人間像を矮小化（わいしょうか）するつもりも、彼の才能を過小評価するつもりもない。だが、事実レオナルドが技師や発明家として活動していたとしても、それはただ彼一人が傑出した技師・発明家だったというわけではなく、彼に比肩しうる数多くの先達や同時代人たちがフィレンツェやミラノといったルネサンス諸都市で活躍していたことはすでに明らかである。レオナルドは芸術と科学の両面で活躍した最も独創的な人物のように言われるが、むしろ、そうした人物のなかで最もよく知られている例だと言い直すべきなのである。

いずれにせよ、彼は発明家、軍事技師としてミラノで大活躍したわけではなく、むしろ彼はやはり主として画家、装飾家、意匠デザイナー、舞台美術家、祝祭演出家として働いていたアーティストであり、あるいは職人だったという現実を認識する必要を感じるのである。そしてその分野において彼は才能を発揮し、しかし同時にいくつかの壁に直面して、ミラノでの厳しい生存競争を乗り越えてきた。その様子を次章で見ることにしよう。

第三章　宮廷芸術家の立場と活動

一　舞台美術家としてのレオナルド

すでに前章で触れたように、レオナルドはリラ・ダ・ブラッチョという弦楽器の演奏家としても名が知られていたが、彼はまたいくつかの演劇や祝祭の舞台装置や衣装デザインなどにも携わっており、そうした芸能関係の仕事にもかなりの情熱を注いだ。ミラノ宮廷では画家・彫刻家・建築家および軍事技師として活躍したような印象があるが、じつはむしろ音楽・演劇・祝祭といった催事のデザイナーとしての活動のほうが目立っていたといっても過言ではない。彼がいわば芸能関係で活動した記録が残るのは、音楽よりもむしろ演劇あるいはそれに類する美術の分野で、たしかにこの方面で彼は宮廷での公的な企画に従事し、大活躍するのである。そうした仕事に忙殺されていた感すらある。

一四八九年九月二三、二四日、ミラノ近郊の都市パヴィーアで、イル・モーロ主催の馬上槍試合が行われた。パレードや騎士の衣装など、レオナルドはこの祭典の種々の美術面を担当した可能性が考えられる。そしておそらくその催しでの実績が評価されたのだろう。翌一四九〇年一月一三日にジャン・ガレアッツォ・スフォルツァとイザベッラ・ダラゴーナの婚約を祝う大祝宴がスフォルツァ城で開催されたが、その最後を飾る出し物として、レオナルドはある種の舞台美術『天国（イル・パラディーゾ）』を制作・上演した。ここで「ある種の」と言ったのは、それがいわゆる演劇や歌劇の背景としての舞台装置といったものではなく、大掛かりなからくりによって動く舞台そのものが、いわば音響や台詞（せりふ）を伴う総合的な造形芸術作品となったようなイヴェントだったからである。これについてはのちに再び触れたい。

祝宴は毎年のように行われ、一四九一年一月二六日にはミラノのガレアッツォ・ダ・サンセヴェリーノの宮殿で馬上槍試合が開催され、レオナルドが装飾を担当した。これ以前にミラノ宮廷では祝い事が続いた。一月一七日はロドヴィーコ・スフォルツァとベアトリーチェ・デステの婚礼の儀式がミラノ近郊の都市パヴィーアの城内にある礼拝堂で執り行われ、続いて大広間で盛大な祝宴が開かれ、さらに一月二三日にはアルフォンソ・デステとアンナ・スフォルツァの婚礼と祝宴が開かれた。したがってこれら一連の催事にレオナルドがなんらかのかたちで関わったと推測される。

さらに同年六月二六日にはガレアッツォ・ダ・サンセヴェリーノの宮殿で仮装舞踏会が開催されたが、レオナルドがこのための衣装デザインを手掛けた可能性がある。ウィンザー王

図3-1　衣装デザイン・スケッチ

室図書館に収蔵されるレオナルドの素描群のなかに、いくつかの人物像が描かれている（図3―1）。レオナルドは、しばしばこれらに似た種々の衣装デザインを行ったと思われる。

一四九二年にはフランス王との協定成立および新教皇の選出を祝う祝典が開かれ、さらに翌年一月にはイル・モーロの長男マッシミリアーノ誕生の祝典が開かれ、年末には神聖ローマ皇帝マクシミリアン・ハプスブルクとジャン・ガレアッツォ・スフォルツァの妹ビアンカ・マリアの婚礼と祝宴が開かれた。記録はないが、レオナルドがこれらにも関わった可能性が考えられる。そして三年後の一四九六年一月三一日、ミラノのジャン・フランチェスコ・サンセヴェリーノの宮殿でバルダッサーレ・タッコーネ作の演劇『ダナエ』の上演を含む大宴会が催されたが、その際にレオナルドは機械仕掛けの舞台装置および舞台美術を担当した。

幻想舞台『天国（イル・パラディーゾ）』

このようにレオナルドは、舞台美術や舞台衣装の類はもとより、種々の祝宴に際して衣装や小道具類のデザイン、さらにはヘア・デザインのような仕事にまで従事したと思われ、そのためのアイディア・スケッチと推測される素描も残した。レオナルドがこうした催しに従事して多忙な日々を送ったことについては、もしこれらの雑事に振り回されることがなければ、もっと多くの絵画作品をものしただろうにと、才能の浪費を惜しむ見方もある。しかしヴェロッキオ工房がそうであったように、当時の美術家たちが絵画や彫刻だけでなく、種々の美術活動に関わっていたことを考えれば、レオナルドがミラノ宮廷でいわば総合デザイン業者として活動していたことはごく当然のことであり、後世のアカデミズムにおける絵画・彫刻・建築の三大芸術とその下位に属する応用芸術というヒエラルキーの観点を持ち込んで、デザイナーとしてのレオナルドの活動を消極的に評価することは正しい判断とはいえない。

それにレオナルド自身、多種多様な方面での仕事に強い関心を示したこと、また現在ならばいわばクリエーターとしてそうしたさまざまな場でアイディアを練っては実現することに彼が愉(たの)しみを感じていただろうことは、彼が残した数多くの素描やスケッチからも明らかである。それは決して才能の浪費ではなく、そうしたことに熱中するのがレオナルドの資質だったと思われるのである。そして実際、『天国』の上演によってミラノ宮廷で彼の才能は絶賛されたのである。

一四九〇年一月一三日にジャン・ガレアッツォ・スフォルツァとイザベッラ・ダラゴーナの婚約を祝して開催された祝宴は、スフォルツァ城内でじつに盛大に執り行われたようである。摂政としてミラノ政権を握っていたイル・モーロは、本来の政権継承者である甥のジャン・ガレアッツォとアラゴン家の娘イザベッラの婚約というミラノの将来にとって重要な政略結婚を取りまとめ、それに見合う祝祭イヴェントを打ち上げたのである。その最後を飾る出し物がこの『天国』だった。

この舞台装置がどのようなものであったかについては、当時ミラノ宮廷に仕えていた詩人ベルナルド・ベッリンチョーニが、一四九三年に出版した詩集の中で紹介している。それによればこの祝宴は、「ロドヴィーコ・イル・モーロ侯により、ミラノ公妃を讃えるために上演された。それは天国と呼ばれる。というのも、それはフィレンツェ出身のレオナルド先生の偉大な才能と技芸によって制作されたもので、天国では七つの惑星が回転しているからである。それらの惑星は人物によって表され、彼らは詩人たちが述べているような姿と衣装をまとっている。惑星たちは皆、いま述べたイザベッラ公妃を讃える言葉を述べる」というようなものだった。

七つの惑星を象徴的に表現するという人物たちが、具体的にどのような姿で舞台に登場したのかは、この記述からは想像できない。また惑星は回転していたというが、舞台の床面上で水平に回転していたのか、それとも上下しながら垂直方向に回転していたのか、あるいはあたかも宙に浮いたように舞台上方で回転していたのかなど、どの程度のからくりが施されていたのかも不明である。レオナルドによるスケッチや図面も現存しない。

ただし、レオナルドは一四九六年一月三一日に『ダナエ』が上演された際に、舞台上方に姿を現したゼウスのもとに、この大神に見初められたダナエが昇っていくという、じつに大掛かりな仕掛けを考案している。したがって『天国』の舞台も、それに類するからくり舞台だったと推測される。だとすれば、美術の才と機械類の発明の才とが結合した、まさにレオナルドらしい舞台芸術ということになる。

からくり舞台の伝統、天使を飛ばした先人

ところが、こうした大掛かりな舞台美術を手掛けたのは、レオナルドが最初ではない。機械仕掛けのからくり舞台といういかにも近代的な発想も、レオナルドに始まったわけではなく、すでに中世末期に出現していたのである。当時のヨーロッパの諸都市では聖史劇と呼ばれる演劇が盛んに上演されており、天上の場面では花咲く庭園に神と天使たちが集い、地獄の場面では悪魔が現れて火を噴くなど、観客の意表をつくさまざまな仕掛けが施されていた。したがってレオナルドが制作した『天国』の幻想的な機械仕掛けの舞台装置という発想

も、もともとまったくの彼の独創というわけではなく、中世以来の演劇の伝統に即したものだったのである。

また、中世の聖史劇はとくに音楽との結びつきが強く、舞台美術という視覚的演出との融合によってやがてオペラへと発展してゆく。その点でも『天国』はそうした演劇史の流れに即したものであって、その流れを変えたというものではなかった。むしろ中世の幻想的舞台の伝統の流れを汲みつつ、それをさらに大掛かりで巧妙なものへと発展させたと考えられるのである。レオナルドのような美術家がこうした舞台装置や舞台美術の制作に携わったということは、ことさら彼の多才のなせるわざというのでもなく、当時の美術職人としてはごく自然なことだったのである。

こうしたからくり舞台の前例として有名なのは、フィレンツェ大聖堂のクーポラを設計したあの建築家ブルネッレスキである。ヴァザーリによれば、ブルネッレスキは一四二六年にフィレンツェのサンティッシマ・アンヌンツィアータ聖堂内で聖史劇『受胎告知』が上演された際に舞台装置の制作を担当し、地上にいる聖母マリアのもとに天使たちが舞い降りるというまさに劇的なシーンを実現してみせた。彼は天使役の子供たちを宙吊りにして舞台上方から下降させ、観客を大いに沸かせたという。おそらくはロープと滑車を主とする仕掛けだろう（図3-2）。

役者が舞台を前後左右に移動する際には、歩行という人間本来の身体機能で間に合うが、

図3-2　ブルネッレスキの舞台（想像復元）

上下方向の移動、それも階段や梯子を用いない昇降運動には、しかるべき機械装置の導入が必要である。また、はたして当時の演劇がそこまでの技巧や演出を求めたか否かは定かでないが、天使の飛来という奇跡の場面をより効果的に演出し、役者がまるで本当に宙を浮揚しているかのような視覚効果で観客を幻惑するために、装置や道具の存在が観客にあまり目立たないようなトリックの工夫も必要だったかもしれない。

ブルネッレスキは、かつて洗礼堂の門扉の浮き彫り装飾をめぐってギベルティと腕を競った彫刻家であり、また、実現不可能といわれていたフィレンツェ大聖堂の巨大なクーポラを、地上数十メートルから一〇〇メートルほどの高さに掛けられた足場の上で建設するという離れ業を成し遂げた建築家である。技術と表現の両面を要する舞台装置の制作を可能にしたのは、そうしたブルネッレスキの芸術的かつ工学的才能だったのである。

フィレンツェの技術をミラノに伝えたレオナルド

詩人ベッリンチョーニは、レオナルドを「先生」すなわち原文ではマエストロという敬称で呼んでいるが、この語は手工芸や芸能の分野においてしかるべき技能を備えた者を指し、今日の「芸術家」とはやや意味合いが異なり、一人前の職人や親方といった意味である。残念ながら当時の文化人たちの間では画家や彫刻家たちはまだ一介の職人にすぎなかったのである。

とはいえ、ここでベッリンチョーニはレオナルドをそうした意味で過小評価しているわけではなく、もちろんレオナルドの才能を賞賛しているのである。また、ベッリンチョーニはレオナルドのことをあえて「フィレンツェ出身のマエストロ」と称しているが、この「フィレンツェ出身」という枕詞にも特別な意味が込められていると思われる。すなわち当時フィレンツェはなんといっても絵画・彫刻・建築はもとより音楽や演劇といった分野でも一大中心地であり、そこで培われた技術とセンスは地方都市にとっては憧れだった。ヴェロッキオ工房をはじめ、フィレンツェの美術職人たちは、絵画や彫刻のほかに建築装飾や種々の祝祭のための舞台装置やデザインなどを幅広く手掛けており、レオナルドもフィレンツェ時代にこうした装置やからくりについて学んだはずである。したがってレオナルドが『天国』で披露した機械仕掛けの舞台装置は、「フィレンツェ出身のマエストロ」ならではの出来ばえだったということである。

空想科学的ファンタジー

もっとも、ではレオナルドは単にブルネッレスキのような先人のアイディアと技術をまねただけかというと、決してそうではない。レオナルドの舞台装置にはやはり彼の独自性がはっきりと打ち出されており、新たな展開がみられる。

レオナルドが制作した『天国』は聖史劇ではない。聖史劇はキリスト教主題、とくにイエス・キリストの生涯から題材を選んでそれを舞台に再現したものである。ところがレオナルドの『天国』は、七つの惑星云々というベッリンチョーニの記述から分かるように、キリスト教とは直接関係がない。「天国」と題されてはいるが、その天国はむしろ「宇宙」と言い換えてもよさそうである。

七つの惑星とは太陽、月、火星、水星、木星、金星、土星を指しており、地球を中心として同心円的な軌道を描く星々の構成を表した天球儀をモデルとしたものと思われる。今日の宇宙観とは異なるが、七つの惑星が回転する宇宙のイメージは、中世のキリスト教的世界観に基づく宇宙の図式と結びついてはいたが、もともとは古代ギリシア人が描き出したイメージのリバイバルである。そしてルネサンス当時の文化人にとってはまさにそれこそが最新の宇宙観だったのである。

また、一五世紀の知識人たちは古代の文献が伝えるところに従い、地球が球体であることをすでに予想していた。そして間もなくコロンブスやマゼランといった冒険者たちが、そうした予想を実証することになる。つまり、キリスト教会はいまだ聖地エルサレムを中心とする円盤上の閉じた世界の図式に固執していたが、ルネサンス人たちはすでに宇宙空間に浮かぶ地球の姿をイメージしていたのである。

したがってレオナルドの『天国』が描き出したイメージは、まったくの幻想や夢想でなく、現代風に言えばSF的ビジョン、しかも近未来的な期待感に満ちたものだった。ここにルネサンスという時代が反映している。古代ギリシア・ローマの文化・芸術を復興するところから、さらに新しい社会の建設が試みられた一五世紀ヨーロッパは、来るべき未来がじつはすでに古代世界に既存し、まるで過去に立ち返ることによって未来が到来するかのような、一般の人々にとっては頭が混乱するほど衝撃的な世界観の転換が生じた時代である。『天国』はこうしたSF的な時代感覚を表現した舞台だったといえる。しかもそれはいわば機械工学的技術を駆使したアトラクションだったのだから、新しもの好きの宮廷人たちにとってはさぞかし刺激的だったことだろう。

人が天に上昇するからくり舞台『ダナエ』

『ダナエ』上演に際してレオナルドは、かつて手掛けた『天国』とはまた趣きをがらっと変えた舞台装置を制作した。これについては若干のスケッチとメモが現存している。ニューヨークのメトロポリタン美術館にはこの舞台装置のスケッチと配役および衣装の経費かと思われるメモが記された紙葉が収蔵されているが(図3−3)、そこには、この劇の脚本を書いた詩人バルダッサーレ・タッコーネをはじめ、当時のミラノ宮廷に仕えていた彫刻家、音楽家、人文主義者などの名が挙げられている。したがってこの劇は、プロの劇団によるものではなく、むしろ文士劇的な性格のものだったようである。おのずと役者たちの演技よりもむしろ演出や舞台美術に力点が置かれることになっただろう。となるとレオナル

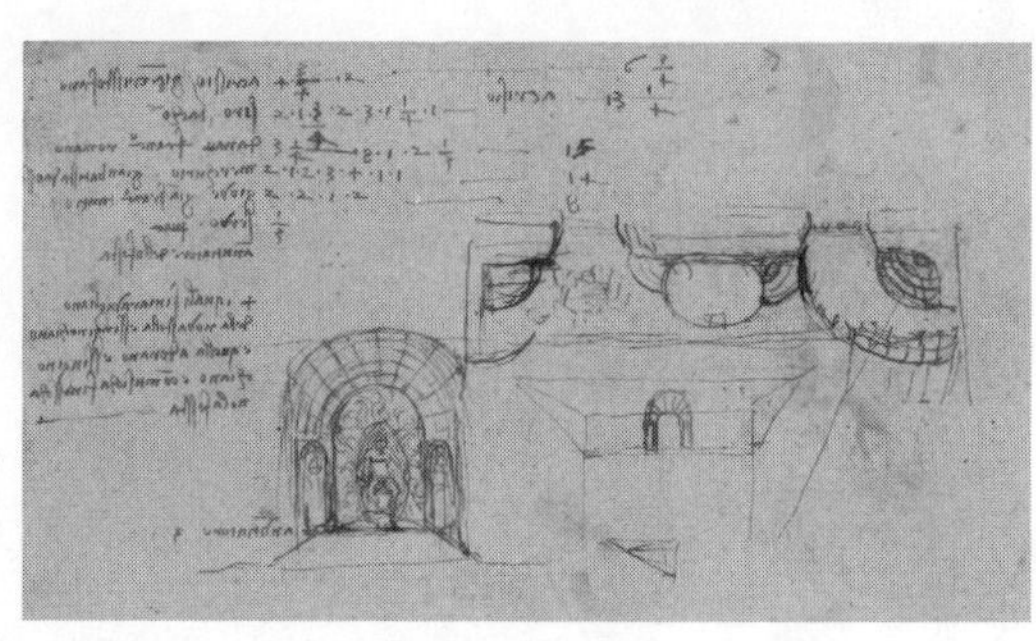

図3-3　舞台装置のスケッチとメモ

ドの奇抜で大掛かりな舞台装置がメインとなって観客を沸かせたのではないかと想像される。では、この舞台のデザインとからくりとはどのようなものだったのだろうか。

このメトロポリタン美術館のスケッチを見ると、まず左方にニッチ（壁龕(へきがん)）のような奥まった場所があり、アーモンド形の玉座に座す人物が見える。おそらくこれが主役ゼウスである。つぎに右方のスケッチだが、これは舞台の全体図を示したもののように見える。とすれば、中央にあるアーチ形の構造物がゼウスの玉座で、その拡大図が左のスケッチということになる。レオナルド研究者のケイト・シュタイニッツはそう考えず、右の図に描かれたニッチのような構造物はダナエが幽閉された楼閣のテラスだと考えるが、それではゼウスが舞台のどこにどういう形で登場するのかが説明できない。ニッチのような構造物の形状がひじょうによく似ていることから、やはり右方の図が舞台の全体図で、ゼウスの玉座が舞台上方にあり、左方の図がその拡大図と見るのが自然であるように思われる。人間であるダナエは地上的存在として舞台の下方に登場し、大神ゼウスは天上的存在ということで舞台の上方に登場するという設定だったのではないだろうか。

さて、『ダナエ』のための素描と思われる別のスケッチが「アトランティコ手稿」の中にあり、舞台のスケッチとともに機械装置のパーツがいくつも描き込まれている（図3-4）。ここでとくに注目されるのは、登場人物を上下方向に昇降させるための装置のアイディアが示されている点である。すなわち、丸太のような細長い円柱が束ねられ、その中の一本もしく

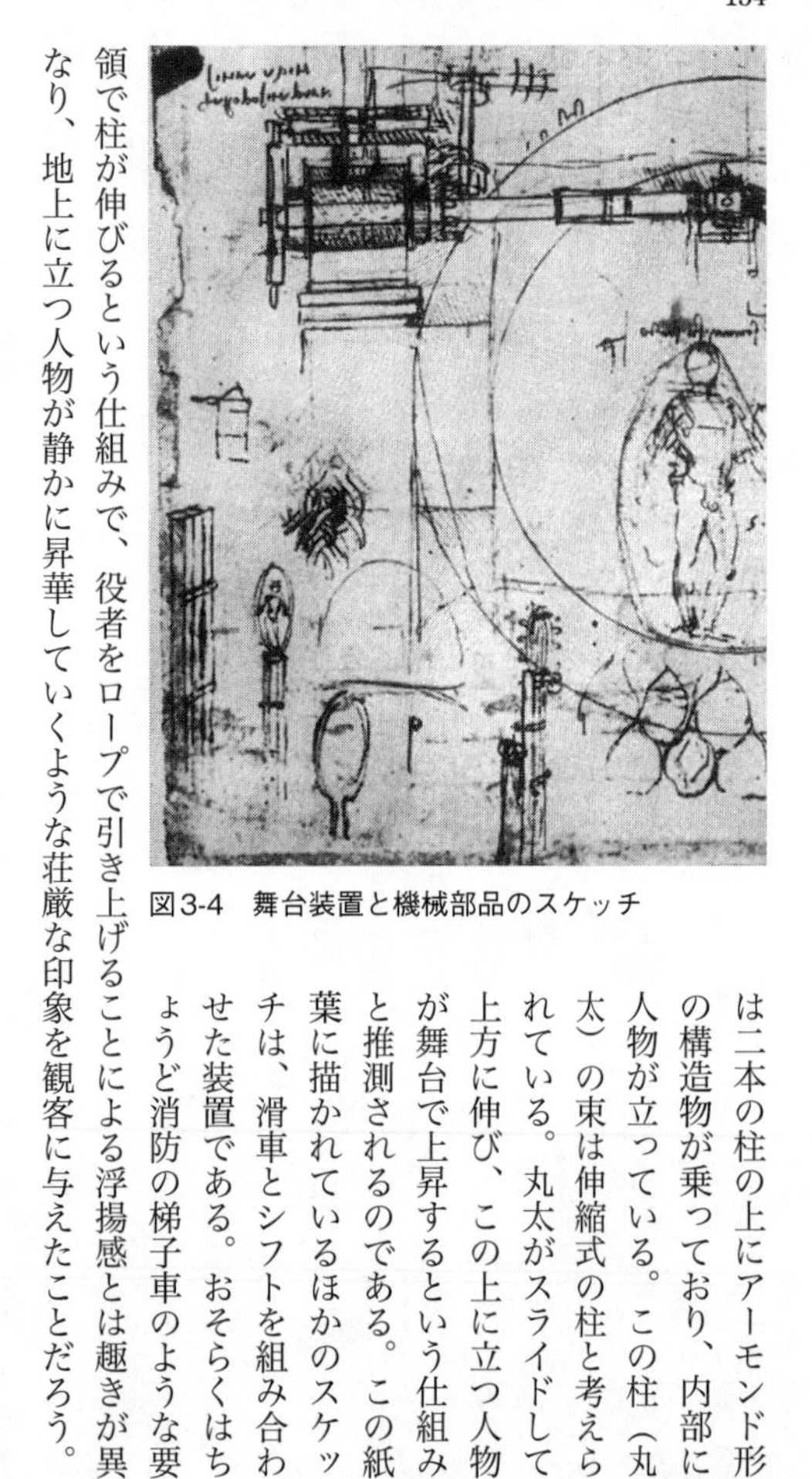
図3-4　舞台装置と機械部品のスケッチ

は二本の柱の上にアーモンド形の構造物が乗っており、内部に人物が立っている。この柱（丸太）の束は伸縮式の柱と考えられている。丸太がスライドして上方に伸び、この上に立つ人物が舞台で上昇するという仕組みと推測されるのである。この紙葉に描かれているほかのスケッチは、滑車とシフトを組み合わせた装置である。おそらくはちょうど消防の梯子車のような要領で柱が伸びるという仕組みで、役者をロープで引き上げることによる浮揚感とは趣きが異なり、地上に立つ人物が静かに昇華していくような荘厳な印象を観客に与えたことだろう。

大掛かりな廻り舞台

レオナルドは、役者を昇降させるだけでなく、舞台光景を大転換させるというじつに大掛かりな仕掛けについても考えを巡らせていた。そのアイディアは「アランデル手稿」という分類名称で大英博物館に収蔵されるレオナルドのスケッチおよびメモ類の中に見られる（図3－5）。舞台の中央に岩山のような構造物があり、その周囲を他の山々が取り巻いている

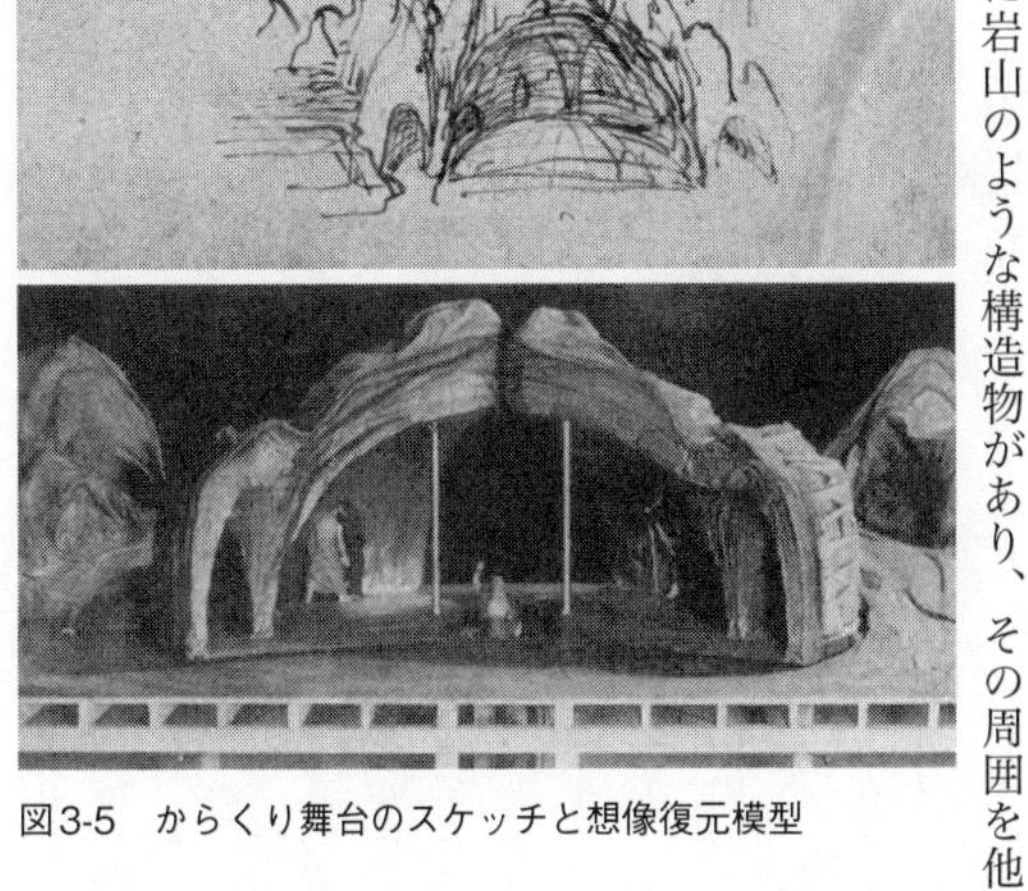

図3-5　からくり舞台のスケッチと想像復元模型

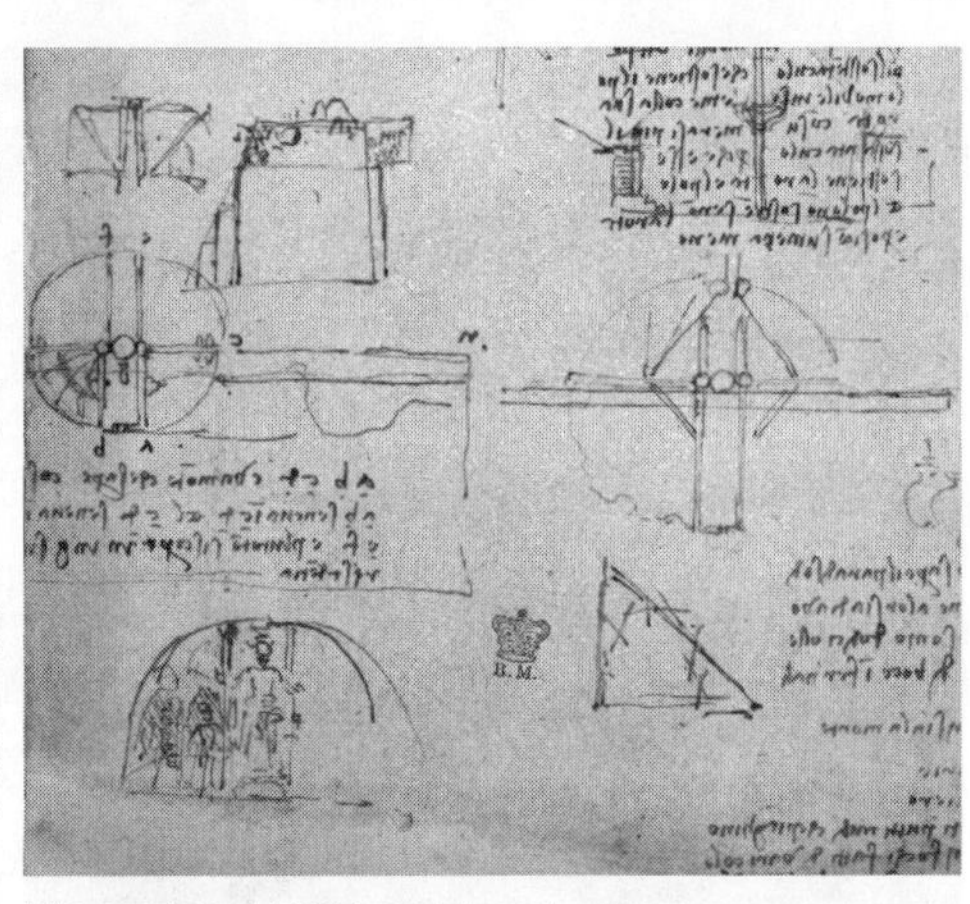

図3-6　からくり舞台のスケッチ

が、この岩山が観客の目の前で中央から二つに割れ、扉が開くように岩肌が左右に後退してゆく。すると岩山の内部空間が現れ、これがつぎの場面の舞台となる。巨大な観音開き式の岩山というわけである。

「アランデル手稿」には、これに類する舞台転換の仕組みについて図解したスケッチがもう一つ描かれている（図3-6）。紙葉の下方を見ると、アーチ形の部屋のような構造物があり、その内部に複数の人物像が見える。中央の人物は他の二人よりもかなり大きいため、おそらく人間ではなく、神のような存在と思われる。先のメトロポリタン美術館収蔵の素描に表されたゼウスの玉座のあるニッチのような場所と類似しているため、これも玉座のゼウスを想定したものとも考えられる。

このスケッチのすぐ上に、円柱を軸として回転する舞台のスケッチが描かれている。これは舞台全体が回転するか、もしくは先の岩山のように、斜面の手前が二つに割れて開閉するという仕組みのためのアイディア・スケッチと思われる。

古代の知恵に学ぶレオナルド

舞台を回転させる、あるいは回転運動によって構造物を開閉させるというのはたしかに大胆な発想だが、こうした大掛かりなからくり舞台はすでに古代ローマ時代に制作されていた。レオナルドの構想は太古の遺産の研究に基づくもので、彼は古代の文献を読んで有益な情報を得ていたのである。

レオナルドが所蔵していた書物については、今日その概略が彼の手記中の覚え書きから推察できる。一つはすでに触れた「アトランティコ手稿」の第二一〇紙葉の表頁で、一四九五年頃に書かれた蔵書リストと思われる。もう一つは二〇世紀に入ってマドリッドのスペイン王立図書館で発見された「マドリッド手稿」の第Ⅱ手稿中の紙葉で、こちらは前者より一〇年ほどあとに書かれたとされる。これらの蔵書リストから、レオナルドは約一〇〇冊の書物を所有していたことが分かっているが、その中にローマ時代のいわば百科事典であるプリニウスの『博物誌』のイタリア語版が含まれていたのである。

同書はまさしく古代の知識の集大成で、プリニウスは建築についても扱っており、その中でわずか二件ではあるが劇場や舞台装置について言及している。一つは「スカウルスの劇場」（第Ⅲ巻、第三六巻、一一三―一一五）で、造営官マルクス・スカウルスが建造した観客席数八万という巨大な劇場である。もう一つは「クリオの劇場」（同一一六―一二〇）で、護民官ガイウス・クリオが建造した木造の大劇場および円形劇場である。とくに円形劇場については、観客席が二つの軸に支えられた回転式のものであったという。シュタイニッツは、とくにこの円形劇場の先例がレオナルドに示唆を与えたとする。

もっともプリニウスは、この回転式の円形劇場なるものがどのような構造やメカニズムによって建造されたかについてはほとんど言及していない。とすれば、プリニウスの記述がレオナルドになにがしかの示唆を与えたとしても、技術的な情報を提供することはなかったはずである。おそらく回転式の劇場という発想が、レオナルドを刺激したということだろう。レオナルドは舞台装置に関するメモやスケッチの中でもっぱら装置の構造や機構、技術に関する問題を扱っているが、プリニウスが伝えていないそうした具体的な側面については、自ら解決しなければならなかったのである。

ところで、プリニウスはこれらの劇場を浪費と退廃の例として批判している。どうやら彼はこの種の娯楽施設について、さほど関心を抱いていなかったらしい。レオナルドはそうした批判的な記述についても読んでいたはずである。では、こうした劇場に類似したものを制作することを彼自身どう考えていたのだろうか。だが、レオナルドはそれについてなにも言葉を残していない。浪費とは知りつつも、イル・モーロからの依頼もしくは命令ゆえ、ミラノの為政者たちの贅沢な娯楽をあざ笑いつつ、与えられた仕事を遂行したまでのことなのだろうか。おそらくそうしたシニカルな想いもあっただろうが、こうしたプロジェクトが彼を大いに駆り立てたことも事実だろう。

レオナルドは沈着冷静な性格と思われるにもかかわらず、大胆な発想や壮大な計画といったものに対して、しばしば誇大妄想的といってよいほどの関心を寄せる。したがってプリニウスが伝える古代の劇場の壮大なアイディアは、レオナルドを大いに鼓舞したと思われる。巨大な建造物には常に権力志向が潜在しているとされるが、レオナルドは政治的な意味ではなく、技術者として、そして美術家として、そうした大プロジェクトに挑戦することで、名声を博すことを望んでいたはずである。

彼はしばしば手記の中で、画家として名声を博すにはどのような努力が必要かということについて言及しているが、芸術が芸術家自身の自己表現や自己実現である現代とは異なり、美術家がまずは職人であり、また技師であったルネサンス当時は、レオナルドに限らず、名声や地位、そして富を求めて当然だったのである。そしてなによりの歓びは、作品が人気を博し、作者の名が噂され、その名が後世に残ることである。とりわけ舞台美術や祝祭の意匠といった一回限りの上演は、写真やヴィデオのなかった時代ゆえに、あとはただその評判が語り継がれるのみという運命を背負っていたのである。

二　音楽家・楽器製作者としてのレオナルド

音楽家レオナルドについて語る文書

若い頃のレオナルドの音楽に関する才能についてはいくつかの伝承がある。実際の活動について断定するに足る証言はないが、同時代およびややのちの世代の言及がある。また、音楽関連の人間関係もレオナルドと音楽とを結ぶ接点として重要であり、そうした人物たちについてもチェックしておく必要がある。

まずジョルジョ・ヴァザーリだが、彼が『美術家列伝』の中でレオナルドが特異な楽器を自作し、それを携えてミラノ宮廷に赴いたと伝えている件についてはすでに触れたが、そのヴァザーリは、レオナルドの師ヴェロッキオ（一四三五—八八年）を「金工師、遠近法画家、彫刻家、版画家、画家、音楽家」としている。ヴェロッキオが音楽家としても活動していたことが事実だとすれば、修業時代のレオナルドが師から音楽の手ほどきを得たり、演奏の場を与えられたりした可能性が考えられるのである。

また、ヴァザーリよりも前に、パオロ・ジョヴィオ（一四八三—一五五二年）という人物が一五二七年頃に『レオナルド小伝』を書いたことについてもすでに触れたが、この書物の中には「レオナルドがリラを巧みに演奏しながら歌い、生涯を通じて諸侯にたいそう親しまれた」ことが記されていた。かなりレオナルドを美化している点があるが、ジョヴィオはレオナルドが多大な影響を直に与えたあのラファエロと同世代の人物であり、彼がこの小伝を書いたのもレオナルドの死後まだ一〇年と経ていない時期である。したがって証言としては、レオナルドに直接会ったことのないヴァザーリよりも事実に近い可能性が高い。

そしてもう一つ、ヴァザーリよりもレオナルドに近い世代の証言として、アノニモ・ガッディアーノなる素性不明の人物によるレオナルド伝が存在していることについても触れた。この『アノニモ（匿名の意）・ガッディアーノ本、レオナルド伝』が書かれたのは一五〇六―三二年頃と推測され、またヴァザーリが『美術家列伝』中の「レオナルド伝」を執筆する際の種本となったことでも注目される資料である。そしてこのガッディアーノによれば、レオナルドは「アタランテ・ミリオロッティとともに、リラを献上するためにミラノ公のもとに派遣された」のだが、ガッディアーノはさらにこのミリオロッティという人物が画家・建築家で、しかもレオナルドにリラ・ダ・ブラッチョの演奏法を学んだとも語っている。

したがって、このミリオロッティもおそらくレオナルドによるリラの演奏に加わったのだろう。多才な人物だったらしく、一四九二年にマントヴァ宮廷で詩人ポリツィアーノ作『オルフェウス物語』の二度目の上演が行われた際に主役をつとめたことが分かっている。役者および歌手としての才能を有していたわけである。そしてさらにこのミリオロッティは、本業の建築家としても活躍し、一五一三年から四年間ローマに滞在して教皇レオ一〇世のもとで建築監督をつとめるのであった。ヴェロッキオにせよレオナルドにせよ、そしてこのミリオロッティにせよ、美術家が音楽の才能を発揮するケースが少なくなかったのは興味深い。

つぎにルカ・パチョーリ（一四四五―一五一七年頃）の証言を見てみたい。レオナルドは、この七つ年上のフランシスコ会修道士兼数学者とミラノ宮廷でかなり親しい関係にあったと思われる。パチョーリは、黄金比率として知られる比例についての有名な『神聖比例論』（一四九八年）を刊行する際に、複雑な幾何学形態の挿図をレオナルドに描いてもらい、そのことに敬意を払う意味で、イル・モーロへの献辞の中でレオナルドに賛辞を贈っている。そこには同書に掲載された多角形の素描が「画家、遠近法画家、建築家、音楽家、およびあらゆる徳を有するミラノ在住のフィレンツェ人レオナルド・ダ・ヴィンチ氏によって描かれたもの」だと記されている。面白いことに、パチョーリはレオナルドの彫刻家や軍事技師としての側面については言及していない。

これら以外にもう一つ、パオロ・ロマッツォ（一五三八―一六〇〇年）の証言も興味深い。ロマッツォはミラノの画家で、自ら『絵画論』（一五八四年）および『絵画の殿堂のイデア』（一五九〇年）と題する論書を執筆し、また、レオナルドの素描の収集家としても知られた人物である。彼は後者の書物の中で、当時の代表的なリラの演奏者を三人挙げており、そのなかにレオナルドを含めている。ただしヴァザーリの『美術家列伝』よりもかなり時代が下っており、彼の証言がなにを根拠にしたものかは定かでない。むしろ、ヴァザーリを含む先達のレオナルド伝を参照したものとも考えられる。とはいえ、ロマッツォ自身ミラノの人間だったこと、そしてレオナルドの信奉者だったことから、ミラノに伝わるレオナルド評等について取材する機会に恵まれていたことは確かだろう。ミラノの文化人らの間でレオナルドがリラの名手として語り継がれていたものと思われる。

おそらくレオナルドが音楽家、とりわけリラの奏者としてしばしばミラノで演奏する機会を得ていたことは事実である。ただ、当時のリラは、主として演奏者が単独で弾きながら、演奏者自らもしくは別の歌い手が即興的な詩を吟ずるという小規模の演奏形態を特徴とするものだった。大舞台でのコンサートでないため、レオナルドの演奏記録などは残念ながら現存しない。

ミラノの音楽事情

レオナルドの音楽家としての活動について考える際に、やはり当時のイタリア諸都市、そしてミラノにおける文化状況とくに音楽事情について把握しておく必要がある。そこで当時どのような音楽が嗜好(しこう)されていたのか、どのような水準にあったのかを概観してみる。

中世の修道院においては、高度な様式の音楽が展開されていた。一二世紀にはとくにフランス系の音楽家たちが複雑なポリフォニー（多声）形式を発展させ、理論的水準においても宗教的含意という点でも頂点を極めた。そしてフランス系やフランドル系の音楽家たちが中世末期からルネサンス期にかけてヨーロッパ各地の宮廷や教会を席巻していった。

実際、フィレンツェでも北方の音楽家たちが活躍しており、ブルネッレスキによってルネサンス建築の代表例となったサンタ・マリア・デル・フィオーレ（フィレンツェ大聖堂）においても、その献堂式典で演奏されたのは、フランドル出身の音楽家ギョーム・デュファイ（一四〇〇頃―七四年）によって作曲されたものである。デュファイはルネサンス音楽の創始者とみなされており、その意味ではルネサンス美術発祥の地フィレンツェでルネサンス音楽が発展したことは歴史的に意義深い。しかし、残念ながら美術とは異なり、フィレンツェ出身の音楽家は育っていなかったのである。

そもそも和声によって構成された荘厳で厚みのある音楽が、北方諸都市の大聖堂で演奏されていたのに対し、イタリアではリラの伴奏に合わせて即興で単旋律を歌う世俗歌謡が一般的に好まれていた。したがって音楽が高度な数学として自由学芸の一つに数えられていた当時の文化状況からすれば、イタリアは音楽に関しては後進国だったようである。

とはいえ、そうした状況下で当時のミラノは、音楽や演劇の中心地の一つとして知られ、数多くの著名な音楽家や詩人たちがここを訪れて活躍していた。ミラノ領主ロドヴィーコ・スフォルツァについては、一般に権謀術数によって権力の座に君臨するしたたかな君主という印象が強く、およそ芸術を愛する人物のように思われない側面があるものの、実のところ彼の宮廷は恵まれた文化環境にあった。もとより、ミラノの文化事業のすべてが彼自身の資質に支えられていたわけではなく、むしろ妃ベアトリーチェに負うところが大きかったようである。彼女はルネサンスを代表する芸術のパトロンとして知られたマントヴァ侯妃イザベッラ・デステの妹であり、音楽や演劇の祝典はしばしば彼女が提唱したものだった。

レオナルドの音楽の趣味・傾向、新しいタイプの音楽の形成期

では、リラ・ダ・ブラッチョの名手とされたレオナルドはどのような種類の音楽を好み、演奏していたのだろうか。ヴァザーリらの記述から、レオナルドは主として単独で演奏したものと思われ、リラを奏でながら本人もしくは別の歌い手が歌う世俗歌謡だったことは明らかである。当時こうしたイタリアの市井の即興的演奏家たちは世俗歌謡を吟じていたのであり、その点ではレオナルドの音楽の素養は、当時の聖堂付属聖歌隊や宮廷で尊敬を集めていた類の多声音楽によるものではなかったのである。聖職者や宮廷人など、上流階級のなかには、こうした世俗音楽を低俗で下品なものとみなす者もいたことだろう。ならば、レオナルドがマイナーな音楽家で、低い評価しか受けていなかったのかというとそうではなく、むしろ当時の流行の最先端を行く音楽家だったともいえるのである。

というのも、たしかに中世の北方では多声音楽がより複雑な楽典を発展させていたものの、中世末期からはそうした宗教音楽よりも世俗歌謡が、一般大衆ばかりか宮廷人たちの間でも好まれるようになってきたからである。もちろん教会音楽に比べればじつに単純であ

図3-7 《音楽家の肖像》

る。だが、それゆえに感情表出が容易で、甘美で親しみやすく、男女の愛をおおらかに歌い上げる人文主義の風潮には最適のジャンルだったのである。そもそもルネサンス諸都市は、もともと商業都市、自由都市として発展したものであり、自由で率直な音楽が活発な市民たちの肌に合っていたのも自然の成り行きであった。

しかも世俗音楽は、伝統的なポリフォニー音楽と対立するどころか、むしろそれと融合して新たな音楽が生まれることになった。たとえばフランドル出身の音楽家ジョスカン・デ・プレ（一四四〇頃—一五二一年）は、レオナルドと同時期にミラノ宮廷に仕えていたが、彼の作曲した全二〇曲のミサ曲のうち、世俗歌謡からモティーフを得たものが半数にものぼることが分かっている。当時はそれほどまでに世俗歌謡が流行し、宗教音楽にまで浸透しはじめていた。というよりもむしろ、フランドル出身の音楽家たちは、イタリアで流行していた世俗歌謡に新鮮な感動を覚え、自身の創作活動の糧としたのである。そして当時のミラノ宮廷にはその世俗歌謡の名手であるレオナルドがいた。はたしてジョスカンがレオナルドの演奏を好んで聴いたり、あるいは手ほどきを受けたりしたかどうかについては不明である。

レオナルドは個人的にはフランキーノ・ガッフーリオという同年代の音楽家と親交を結んでいたらしく、レオナルドもしくは弟子の作と思われる《音楽家の肖像》（図3-7）は、このガッフーリオの肖像を描いたものと推測されている。したがってレオナルドがミラノ宮廷に仕えていた音楽家たちと接し、互いに音楽についての意見を交わすこともしばしばだったことは確かだろう。

好機を得たレオナルド

それはともかく、すでに触れたように、ヴァザーリら伝記作家によれば、レオナルドは自ら創作・製作した楽器を携えてそれを演奏するためにミラノ入りしたとされるが、前述のよ

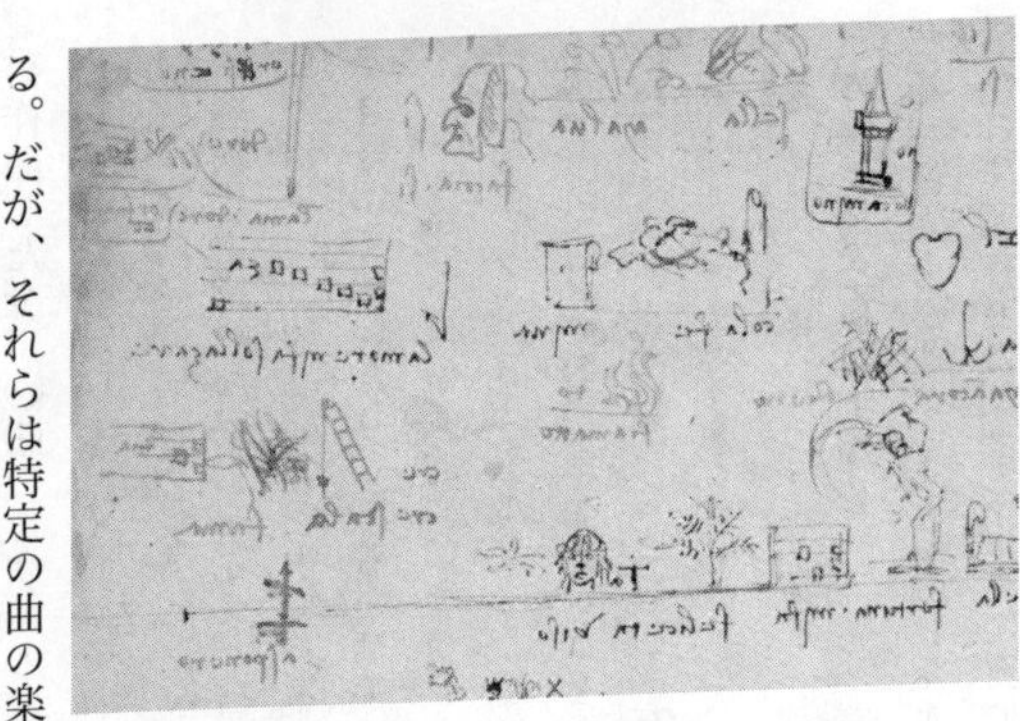

図3-8　楽譜（判じ絵）

うに音楽シーンが大きく変化していった状況を考えると、そうした逸話も真実味を帯びてくる。世俗歌謡の演奏家もしくは歌い手として、フィレンツェでかなり人気を博していたレオナルドとしては、イタリア内外で複雑なポリフォニー音楽から単旋律の歌謡の愛好が広まりつつあった時期に、じつにタイムリーに音楽大国ミラノを活動の場に選んだことになる。そして、どうやら彼の演奏は宮廷人たちから大いに気に入られ、首尾よくミラノでの長期滞在のきっかけをつかんだのである。

　では、レオナルドはどれほど音楽理論や記譜法に通じていたのだろうか。それについては彼の残した手記の類からわずかながら推測することができる。彼は音符を記した若干のメモを残している。だが、それらは特定の曲の楽譜ではなく、むしろド・レ・ミという記譜法をもじった言葉遊び・絵文字遊びの類なのである（図3-8）。たとえばイタリア語では動詞の語尾は「レ」という発音になる。「ミ」は「私を、私に」という指示代名詞、「ファ」は「する、つくる」という動詞の三人称単数の活用形、「ラ」は定冠詞の女性単数形といった具合になる。そこでこうした音名と言語の共通性を利用して簡単な楽譜を書き、それを音名で発声して歌うと、謎めいた文になるというわけである。レオナルドがこうした楽譜をもじってつくった判じものは二〇点近く現存している。

言葉遊びではあっても、音符はたしかに記譜法にのっとって書かれている。したがってレオナルドは楽譜を読むことも書くこともできたのは明らかである。ただし、言葉遊びではなく、確固たる曲となると、残念ながらレオナルドが作曲したと思われる音楽作品は現存しない。しかし、楽譜が存在しないことが、レオナルドの音楽家としての活動そのものを否定することにはならない。というのも、当時の世俗歌謡は即興的な演奏や旋律を旨とするもので、演奏者や歌い手はかならずしも自分の曲を楽譜に残さなかったからである。

しかしながら、やはり当時の一流の音楽家たちは数多くの歌を作曲し、それを楽譜にし、一六世紀には楽譜の印刷も盛んになる。その意味では、たとえレオナルドが音楽家として活動していたといったところで、それらに比べるとかなり趣味的なものであり、はたして当時のミラノ宮廷で活躍していた音楽家たちと同等の扱いや評価を得ていたかどうかは疑わしい。ともかく彼は音楽家ではあっても、作曲家ではなく、リラの即興演奏家にすぎなかった。単旋律の歌謡が音楽家たちに注目されはじめた時代だったとはいえ、そうした歌謡を取り入れて新しい歌曲を創作するのであれば、それは芸術的な意味での音楽だが、リラの弾き語りだけならば庶民の娯楽としての芸能の域にとどまり、その弾き手は音楽家というよりは職人である。したがってやはり当時の宮廷における音楽シーンではレオナルドはランクが低かったにちがいない。

進化する楽器――楽器製作者としてのレオナルド

ヴァザーリらによればレオナルドは自作の楽器を演奏して喝采(かっさい)を得たようだが、それは演奏家としてよりもむしろ独創的な楽器を製作したことに対する評価だったのではないだろうか。もとよりその楽器は一つの美術工芸品でもあったわけで、レオナルドは美術家兼楽器製作者として注目されたことになる。

それにしても馬の頭蓋骨のような形をした珍奇な楽器をミラノ宮廷に献上するということにはどのような意味があったのだろうか。

今日のクラシック音楽で用いられる種々の楽器は、形状の美しさ、扱いやすさ、音質のよさなど、楽器に求められる諸条件を満たし、すでに完成の域に達している。だがルネサンス時代は楽器の形状や機能はいまだ発展途上にあった。というよりむしろ実験段階にあったようで、音楽家や楽器製作者らがさまざまな楽器のあり方を模索していた。ミラノはもともと兵器製造を中心とする技術大国でもあった。そのうえ音楽や演劇が盛んとなれば、楽器製作が行われないはずがない。

現在は博物館になっているスフォルツァ城内には、おびただしい数の楽器のコレクションが収められており、当時のミラノが音楽大国であると同時に楽器の生産地であったことがうかがえる。そこに陳列されている楽器の大半は、発展途上で現れては消えていったものである。展示室に足を踏み入れると、まるで進化の過程をたどった古代生物たちの標本を見ているような気持ちになる。それほど現代人の常識からするとずいぶん風変わりな楽器が並んでいるのである。

したがって、レオナルドが製作した奇妙な形の楽器も、決して楽器の形を借りた単なる飾り物でもなければ、酔狂な宮廷人向けの玩具でもない。それは楽器に対しても進歩を求めたルネサンス人による新たな楽器開発の成果の一つだったのである。そうした環境下でレオナルドが楽器の創作・考案に携わることになるのはごく当然のことである。ミラノにやって来たときにはすでにそのことをも視野に入れていたのかもしれない。

もっとも、レオナルドがミラノでどの程度楽器製作に携わったかを示す資料はほとんど現存していない。一方、ここで興味深いのはレオナルドが単なる楽器ではなく、一種の自動楽器に類する装置の考案に熱中していたことがいくつかのスケッチからうかがえる点である。

ヴィオラ・オルガニスタ

レオナルドは、人間の指の本数による演奏の限界のカバーや、演奏の簡便化・組織化を目指し、機械的な操作による楽器を考案しようとしたらしい（図3-9）。レオナルドはこれを「ヴィオラ・オルガニスタ」と称している。ヴィオラはリラと同じく、バイオリンの前身ともいえる弦楽器である。「オルガニスタ」とは「組織的・有機的な機構による」といった意味で、今日のオルガンと同じ根をもつ語で、要するに機械仕掛けのことをいう。はたしてレオナルドがこのような楽器類の概念の創始者であるか否かは不明であるが、創始者もしくは初期の考案者の一人であるといえるだろう。レオナルドは弦楽器のみでなく、太鼓や笛の類も自動化しようと考えている。

とはいえ、はたしてレオナルドがこうした機械式の楽器類を実際に製作し、あるいは演奏したかどうかは明らかではない。彼の発明品によくあるように、構想のみに終始し、実現にいたらなかったのかもしれない。また、レオナルドの描いたスケッチには曖昧な点があり、開発途上で挫折した可能性も考えられる。それに雑音ではなく、しかるべき音楽的水準を満たす音色を発生させるためにはかなりの工夫が必要だろう。楽器の機構よりもむしろ音質のほうが重要な問題であり、それこそが楽器本来の目的のはずである。

レオナルドのほかの発明にも共通していえることだが、新奇なアイディアや複雑なメカニズムの考案に熱中するあまり、その機械が本来目指している目的や機能が脇に追いやられてしまう。よい音楽を演奏するためには、楽器にからくりを施すよりも、まずは演奏の練習をすることのほうが先決ではないだろうか。だが、そこがレオナルドらしいところであり、彼の脳内には創意と知性と無邪気さが同居しているのである。メカニカルなゲームに没頭するレオナルドには、しばしばアイディアの具体化に関する試算が欠如しており、そのため結局、実際には製作されなかったり、されたとしても実用化にはいたらなかったということなのだろう。進化の過程で多くの先行型生物が袋小路に迷い込んで淘汰されていったように、レオナルドのアイディアの多くは歴史の潮流に乗らずに終わっていったのである。

レオナルドにある種の孤独癖があったことはすでに指摘されていることだが、この性癖はこうした楽器のアイディアにも表れているように思える。考えてみれば自動楽器も、コンサートで演奏するためよりもむしろ、音楽愛好家がひとりで音楽を楽しむのに相応しい道具である。たとえばオルゴールなどはそのような進化の過程をたどった自動楽器である。幼少期

図3-9　自動楽器のスケッチ

から孤独な生活環境を強いられ、やがて孤独を愛するようになったレオナルドは、しばしば宮廷や工房の喧噪（けんそう）から逃れて、ひとりリラを弾きながら静かな時間を過ごす。自動楽器を考案しようという動機には、そんなレオナルド自身の性格が反映しているのではないだろうか。

三　スフォルツァ騎馬像制作

先達を超えようとする野心

自薦状の下書きに見られたように、レオナルドはミラノの先々代領主フランチェスコ・スフォルツァの記念騎馬像の制作を強く希望し、実際にその仕事をロドヴィーコから任されることになったのであった。当然、レオナルドはこの大事業に並々ならぬ情熱を傾けた。そしてここが彼の芸術戦略家としての優れた点なのだが、レオナルドは先達の作品を吟味し、騎馬像制作においてこれまでにどのような表現が達成され、今後どのような表現可能性が見いだせるのかを探った。これまで誰もなしえなかったような画期的な表現を目指し、じつに論理的にアイディアを練る。そうした態度はもちろん芸術家・創造者としての優れた資質の表れだが、そこには計算高い戦術家としての側面もうかがわれる。

レオナルドはフランチェスコ騎馬像のためのスケッチを数多く残しているが、それらの構

図3-10　騎馬像のためのスケッチ

想はブロンズ製の騎馬像としてはまったく前例のないもので、後脚で立ち上がり、激しく首を振る馬を御す騎士の姿だった（図3-10）。それまでの騎馬像といえば、馬が歩く姿を表したものしかなかった。古代の作例としては、現在ローマのカピトリーノ美術館に収蔵される《マルクス・アウレリウス騎馬像》（一六一―一八〇年）（図3-11）、初期ルネサンスの作例としては、ドナテッロ作《ガッタメラータ騎馬像》（一四五三年）（図3-12）、およびヴェロッキオ作《コッレオーニ騎馬像》（一四八八年）（図3-13）がある。これら三点の騎馬像を比較観察してみると、ブロンズの騎馬像彫刻の表現がどのように発展してきたかがよく分かる。

《マルクス・アウレリウス騎馬像》は人馬を含む高さ四・二四メートルの彫像で、馬は右前脚を上げて三本脚で立っており、古代ローマのブロンズ鋳造技術の水準の高さをよく示している。中世ヨーロッパではこうした原寸大あるいはそれを上回る大型のブロンズ彫像は制作されなかった。キリスト教社会ではもっぱら聖具な

図3-11　《マルクス・アウレリウス騎馬像》

どの金工品が主流となり、ブロンズの鋳造技術は衰退していったのである。

その長い停止期間のあとに制作されたのが、ドナテッロの《ガッタメラータ騎馬像》である。ドナテッロは古代の大型ブロンズ彫刻の復活に挑戦したのだが、それは鋳造技術への挑戦でもあった。彼はいわば手探りで古代の優れた鋳造技術を取り戻さなければならなかったのである。

《ガッタメラータ騎馬像》は実験的な作品であり、いまだ古代彫刻の水準におよばなかったのか、像の高さは三・二メートルと、《マルクス・アウレリウス騎馬像》よりも約一メートル低く、また馬も一応左前脚を上げてはいるが、それは見かけにすぎず、ひづめの下には球体が置かれ、実質的にこの像は四本脚で支えられているのである。馬体は、流麗な曲線的輪郭による統一感ある美しいフォルムを示しており、小柄なガッタメラータ傭兵隊長との対比により、じつに堂々とした立派な体軀（たいく）が際立っている。だが鋭敏さに欠けるところもあり、とくにこの馬体には丸々とした量感が優先されており、筋肉の緊張や骨格がつくりだす凹凸はあまり追求されていない。

これら二点の騎馬像を超えたのがヴェロッキオの《コッレオーニ騎馬像》である。ドナテッロの作品から三五年を経てブロンズ鋳造技術はかなり発達し、ヴェロッキオはついに三本脚で立つ騎馬像の制作に成功するのである。像の高さも四メートルと、《マルクス・アウレ

図3-12　ドナテッロ《ガッタメラータ騎馬像》

図3-13　ヴェロッキオ《コッレオーニ騎馬像》

リウス騎馬像》にほぼ等しい。ヴェロッキオは解剖学的な知識を有していたと伝えられるが、たしかに《コッレオーニ騎馬像》の馬体を見ると、前脚を持ち上げるために筋肉に力が加わっている様子がはっきりと示されている。そしてこうした表現は弟子のレオナルドに受け継がれることになるのである。

レオナルドの新たな挑戦

レオナルドは師ヴェロッキオの騎馬像制作にあたって助手をつとめたものと考えられる。その際に彼は師から馬体の構造、粘土による彫刻の制作、そしてブロンズ鋳造技術などを学んだが、さらに彼は師の仕事を見ながら、いずれ自分もこれを超える騎馬像を制作したいという志を抱いたのであろう。そしてちょうどその頃、ミラノで《フランチェスコ騎馬像》制作の企画が持ち上がっており、レオナルドが自薦状でその任にあずかりたいという意思表示をしたのである。

その際にレオナルドが提示したアイディアは、これら三点の騎馬像をはるかに凌ぐものだった。なんと彼は二本脚で立ち上がる馬をつくろうとしたのである。レオナルドはこのアイディアをフィレンツェにいた頃から温めていた。もちろん当初は彫像のためというわけではなく、絵画のためだった。初期の素描のなかに「竜と戦う聖ゲオルギウス」のためのスケッチがあるが（図3-14）、そこには発達した筋肉を持つ重量感にあふれた馬が二本脚で立ち、その上に乗る騎士ゲオルギウスが竜を槍で突く様子が描かれている。じつに迫力に満ちた素描である。またフィレンツェ時代の最後に着手して未完に終わった、例の《東方三博士の礼拝》でも、彼はこれに似た後脚で立つ騎馬の姿を扱っていた（図3−15）。

レオナルドは、とりわけこの馬のポーズに魅せられていたのだろう。絵画作品であれ彫刻作品であれ、彼は後脚で立ち上がる雄々しい馬を繰り返し素描し、骨格、筋肉、重量感、プロポーション、動勢などについて研究していたのである。しかしながら、このアイディアをブロンズ彫像として具現化するのはじつに困難だった。二本の脚で立つ巨大な彫像をつくるには、ブロンズの重量を二本の細い馬脚で支えなければならず、それは物理的にきわめて難しい。彫像は三次元形態であるため、高さが増すと重量は体積の三乗に比例して増す。したがって、できるかぎり小型の彫像のほうが脚にかかる負担は少なくてすむ。

図3-14　「竜と戦う聖ゲオルギウス」の素描

そのようなわけで、レオナルドとしては二本脚で立つ馬というポーズを諦めざるをえなかった。そこでレオナルドはドナテッロに類似した方法を考えた。すなわち、馬は二本脚で立ち上がっているが、地面に倒れた兵士の

図3-15　《東方三博士の礼拝》に描かれた騎馬

像を加え、その兵士の体が馬体と接触しているというものである。こうすれば見かけ上は馬が後脚で立ち上がり、実質的には馬体の重量の一部を兵士の像が支えることになる。こうして補強することで、馬の二本の後脚にかかる負担を軽減しようというわけである。

ところがレオナルドはこの案を採用せず、ついには歩く馬という、ある意味では先達の作品に準ずる形にアイディアを変更した。結局、試行錯誤を繰返した挙げ句、かなり妥協せざるをえなかったのである。最終的に彼がどのようなポーズを採用しようとしたのかは不明である。だが彼が残した素描のなかには、ちょうど師ヴェロッキオの《コッレオーニ騎馬像》のように、歩く馬が片方の前脚を上げて、三本の脚つまり支柱で馬体を支えるという案が数多く見られる。また、鋳造計画を表したスケッチにも類似した馬の姿が描かれている。したがって、馬の頭首の向きや騎士フランチェスコ・スフォルツァのポーズなど、細部については不明な点が多いものの、とにかく馬については、三本脚で立つという、すでに師が実現した表現にまで譲歩したことになる。

ロドヴィーコの不信とリストラの危機

ロドヴィーコ・イル・モーロは、レオナルドが本当に騎馬像を制作できるかどうかという点に不信を抱きはじめた。そのことはロドヴィーコが取った措置からうかがわれる。一四八九年七月二二日、彼はフィレンツェに駐在していたミラノ大使を通して、誰か別の彫刻家を紹介してくれるようメディチ家当主ロレンツォ・イル・マニフィコに申し入れたのである。

もともとこの騎馬像を約束通り首尾よく制作することは、ミラノ宮廷での美術家兼技師としてのレオナルドにとっては最重要の責務であった。種々のデザインの仕事に忙殺されていたとはいえ、レオナルドがこの騎馬像制作に携わって、もうすでに七年ほど経過している。ロドヴィーコとしてはそろそろ完成を見たかったことだろう。とはいえ、レオナルドにもろもろの仕事を任せていたのはそのロドヴィーコである。だが、専制君主の気まぐれに翻弄されるのは宮廷人の宿命でもある。

この仕打ちにレオナルドはかなり動揺したことだろう。ほかの彫刻家が採用されれば、もはやレオナルドの出る幕はない。ミラノに宮廷美術家の地位を得ようとして、祝祭や催事など種々のデザインの仕事をこなしながら、なんとかミラノ宮廷に足場を築き上げてきた努力が水泡に帰すことになりかねない。フィレンツェを去った当初から《スフォルツァ騎馬像》建造事業に名乗り出て、自らの実力を売り込み、その制作に携わってきたレオナルドとしては、この騎馬像のプロジェクトから外されることは、そもそも彼がミラノに滞在することの意義を周囲から批判されかねない状況となる。

また、本来画家であるにもかかわらずレオナルドは、ミラノの無原罪懐胎信心会から依頼されて祭壇画の《岩窟の聖母》を制作したという実績はあるにしても、いまだこの地ではミラノ宮廷のための重要な絵画作品を手掛けてはいなかった。それに《岩窟の聖母》にしたところで、報酬の件で注文主側と折り合いがつかず、結局、作品を納品しないままになっていた。

レオナルドはこのとき三七歳である。現代ならばまだ第一線で活躍するにいたっていなくとも不思議ではないが、医学の発達していなかった当時のヨーロッパ人の平均寿命は三十七、八歳である。常識的にはもうすでに人生の後半に差し掛かっていたことになる。すでにこの年齢に達していたレオナルドは、画家としても彫刻家としても、自らの存在を世に問う作品を一つも制作することなくその生涯を終えることになりかねないのであった。

記念騎馬像制作という公的事業を請け負う機会は、当時の美術家にとっては一生に一度あるかないかの千載一遇の好機であり、それを逃したくないと思うのも道理である。師ヴェロッキオでさえ、騎馬像制作の機会を得たのは《コッレオーニ騎馬像》のみであり、しかも彼はこの一世一代の代表作の完成を見ることなく、鋳造を目前にして一四八八年にヴェネツィアで客死した。その翌年に、ロドヴィーコはレオナルド以外の彫刻家の紹介をフィレンツェに依頼したのであるから、おそらくこのときレオナルドの脳裏には師の最期の様子がよぎったことだろう。

この窮地を脱すべく、レオナルドは再び騎馬像の制作に取りかかり、急ピッチで構想を練り上げた。とはいえ、それからさらに四年を要したのだが、ついに一四九三年、レオナルドは粘土による騎馬像の原型を完成させ、一一月三〇日にビアンカ・マリア・スフォルツァと皇帝マクシミリアンとの結婚祝典に際して公開したのである。その出来ばえは見事なもので、たいへんな評判になったようである。しかも注目されるのは、彫像としての芸術的水準ばかりでなく、その大きさであった。

前代未聞の巨大騎馬像、大胆かつ画期的な鋳造法

レオナルドは、二本脚で立つ馬を諦める代わりに、前代未聞の騎馬像の粘土モデルを制作した。それは馬の高さ七・二メートルという巨大なものだった。もちろんそのような寸法のブロンズ製騎馬像はかつて制作されたことがない。それどころか、これに匹敵する大型ブロンズ製騎馬像がつくられたのはようやく二〇〇年後のことで、一六九九年に制作された高さ六・八二メートルの《ルイ一四世騎馬像》をまたねばならない。ただしこの像は、フランス革命によって破壊され、現存していない。またこの像はレオナルドの騎馬像よりもやや低い。

もともとレオナルドは、初期の段階では等身大の騎馬像を構想していた。ところがしだいに構想が大きく膨らみ、前例のない巨大騎馬像を制作することになっていった。どのような経緯でそうなったのかは定かではない。権力に取り憑かれたロドヴィーコが自らの権勢を誇示するためにそのような難題をレオナルドに課したとも推測されているが、そう断言するに足る証拠も現存しない。

あるいは、いっこうに騎馬像の構想が固まらないことに不信感を抱いたロドヴィーコの胸の内を察したレオナルドが、いわば彼のご機嫌をとり、この仕事がほかの彫刻家の手に渡らぬよう、ロドヴィーコの興味をそそる大構想をぶち上げたのかもしれない。それとも例によって、彼の本質的な性格ともいえる空想癖から、奇想天外なアイディアを思いつき、それがロドヴィーコの好みと一致したのだろうか。

巨大な騎馬像という構想の段階で、すでに解決困難な課題を抱えているにもかかわらず、レオナルドはさらなる難題を自らに課すことになった。それは騎馬像の鋳造法で、彼はこの巨大な馬をただ一回の鋳造で丸ごと製造しようと考えたのである。通常ブロンズの彫像を制作する際には、必要に応じて彫像をいくつかのパーツに分けて鋳造し、それらを溶接することで結果的に一つの彫像を組み立てる。だが、溶接箇所には継ぎ目の跡が残るし、歳月を経るとそこから破損する危険もある。したがってレオナルドは、完全な単体としてのブロンズ像を製造することを望んだのである。もとより騎馬像の場合は、馬と騎士とを別々に鋳造せざるをえない。レオナルドもその点には従わざるをえなかったと思われる。そして彼は、まず馬の鋳造法について繰り返し思考実験を行っては、何枚もの構想スケッチを描き残している（図3-16）。

それらによれば、まず粘土で馬の原型をつくり、そこから石膏で雌型（めがた）をとる。雌型はいくつかのパーツに分かれており、石膏が乾くとそれらが粘土の原型から取り外され、一つに組み立てられる。こうしてブロンズ像の外側の鋳型ができる。この方法によれば粘土の原型も損なわれることがなく、後続の作業工程において常に原型を参照することができる。そして

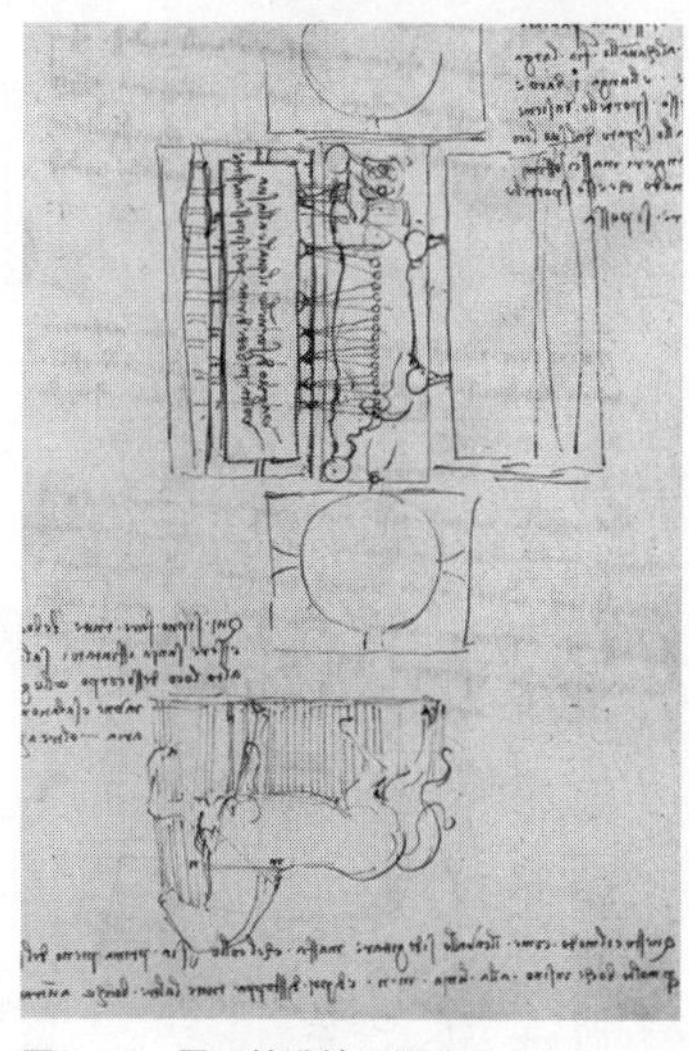
図3-16　馬の鋳造法に関するスケッチ

つぎにこの雌型の内側に粘土もしくは蠟（ろう）を一定の厚みで張り付ける。この蠟の厚みが完成時のブロンズの厚みとなる。この状態の雌型の内側にいま一度粘土を張り付けて雄型（おがた）をとり、この粘土を焼成する。そして石膏の雌型と焼成された雄型を組み立て、鉄骨で補強したうえで、二つの鋳型の隙間に熱く溶かしたブロンズを注入する

のである。

原理は簡単だが、大量のブロンズを鋳込む際に、その熱と重量に鋳型が耐えうるかどうかが問題である。複雑な形状の雌型と雄型の隙間にブロンズがむらなく均等に、そして隅々にまで注ぎ込まれなければならない。失敗すれば大惨事を招くことも想定されるひじょうに高度かつ危険な鋳造作業なのである。スケッチとメモからは、レオナルド自身かなりの不安を抱き、あらゆる危険性を想定し、最善策を考案しようとした並々ならぬ努力の跡が見られる。とくに彼が苦しんだのは、馬を横倒しにして鋳造すべきか、それとも逆さまにしたほうがよいかという点だった。だが、しばしば彼のメモは錯綜(さくそう)しており、最終的に彼がどのような解決案を見いだし、具体的にどのような鋳造装置を開発したのかについては、いまだに不明な点が多い。

遅すぎた鋳造開始と不運

鋳造の問題に一応の決着をつけたレオナルドは、粘土原型を公開した翌一二月二〇日には、いよいよ鋳造に取りかかる決心をし、その旨の自筆記録を残している。したがってこのときには種々の技術的問題を解決するにいたったものと推測される。だが、それは遅すぎた。政情の激変から《スフォルツァ騎馬像》鋳造計画は中止されてしまうのである。というのも、折しもフランスがイタリア侵攻を画策しており、それを案じたロドヴィーコは、防衛戦略から彼と姻戚関係にあったフェッラーラ公エルコレ・デステ一世に、大砲を鋳造するためにと騎馬像用のブロンズをすべて譲渡してしまったのである。

大砲と騎馬像、すなわち兵器と芸術作品が秤（はかり）にかけられ、兵器が優先されたわけである。そもそも大砲も騎馬像も同じ材料を用い、同じ鋳造技術を適用するため、当時の彫刻家たちは技師として大砲製造にも関わっていた。しかもレオナルドは、強度を確保するために一回の鋳込みで大砲全体を鋳造するという、まさにその兵器鋳造法を騎馬像に応用しようと考え、柔軟な発想と緻密な研究によって完璧な騎馬像を制作しようとしたのであったが……。まったく皮肉な結末である。この政治的な裁量について知らされたレオナルドが、「私は時節を心得ておりますので、馬（騎馬像）のことにつきましてはなにも申し上げません」とロドヴィーコ宛に手紙を書き送っており、その草稿が「アトランティコ手稿」に残っている。たしかに国防が優先されるのももっともである。家臣であるレオナルドは、無念をかみ殺しながらも黙って引き下がるしかなかった。

第四章　最後の晩餐

一　ついに勝ち得た最大の好機

念願の壁画、大作への挑戦

宮廷内での催事や土木事業、軍事関連、スフォルツァ城内の装飾、および《スフォルツァ騎馬像》製造など、さまざまな分野に関わっていたレオナルドは、まだ画家として代表作といえる作品をものしてはいなかった。だが、一四九二年からサンタ・マリア・デッレ・グラツィエ聖堂の改築が建築家ブラマンテによって始められると、レオナルドにも大作を制作するチャンスがめぐってくることになった。

レオナルドが《最後の晩餐》を制作した年代については、記録が現存せず、確たることは分からない。はたしてこの聖堂改築に伴って修道院の食堂装飾計画も立ち上がったのかどうかも定かではないが、この頃からレオナルドの素描のなかに、《最後の晩餐》に結びつくようなスケッチが現れる。また、一四九四年一月二九日付けのレオナルドの手記に、〈壁の寸法を記したものがあり、これが晩餐図を制作することになった壁面に関する記述ではないかと推測されている。さらに、一四九五年にドナート・モントルファーノという画家が、現在、食堂内の《最後の晩餐》がある壁の向かい側に《キリストの磔刑》のフレスコ画を制作していることから、レオナルドもほぼこれと同じ時期に壁画制作に着手した可能性も考えられる。こうした状況証拠から、今日では一般に一四九五年頃に《最後の晩餐》の制作が実施され、おそらくはその一、二年前から、計画が始まっていたのではないかとされている。

そして完成時期については、一四九七年にイル・モーロが秘書に宛てて、レオナルドに壁画の完成を急がせるよう指示する旨の書簡を送っていることや、レオナルドの友人だった数学者ルカ・パチョーリが、『神聖比例論』の出版に際して、一四九八年二月九日付けの献辞の中で、レオナルドが見事な壁画を制作したことに言及していることから、一四九七年内もしくは遅くとも一四九八年二月までには晩餐図が一応の完成をみたとされている。

いずれにせよレオナルドは、実際に絵筆をとった期間として少なくとも三年、構想段階から壁画制作までの全工程を考えると、四年以上の歳月をかけてこの大作を完成させたことになる。一枚の壁画制作としては異例ともいうべき長い年月を要しており、その理由としてレオナルドの多忙、生来の遅筆、移り気などが取り沙汰されてきたが、そもそも彼がこの作品に並々ならぬ熱意を注ぎ込んだことが第一の理由だったことは疑いない。もちろん彼自身、かつてない傑作を制作しようという大望を抱いていたわけだが、領主ロドヴィーコの期待も背負っていた。一四九四年にジャン・ガレアッツォが死亡し、摂政から正式のミラノ公の座に即いたロドヴィーコは当時喜びの絶頂にあり、公妃ベアトリーチェとともに永眠する場として選んだグラツィエ修道院を、イタリアで最も美しい修道院にしたかったのである。

この前年、イル・モーロは《スフォルツァ騎馬像》鋳造のためのブロンズを、対フランス防衛戦略のため、義兄弟であるフェッラーラ公に大砲鋳造の材料として譲り渡していたことはすでに触れた。レオナルドはひどく失望し、さすがに責任を感じたイル・モーロは、埋め合わせの意味でレオナルドにこの壁画制作の大任を与えたのだというセンチメンタルな見方もあるが、実情は不明である。とにかく、常に画家を自任していたレオナルドとしては、絶好の機会を獲得したわけで、自分自身の抱負としても責任の点でも、ともに最重要の仕事を任されたわけである。

フレスコ画法を避ける

すでに触れたように、レオナルドは若い頃からフレスコ画を描かなかった、あるいは描こうとしなかった。《最後の晩餐》は食堂の壁に描かれることになっていたため、当時の常識からすればフレスコ画法で制作されるべきだった。しかし、ここでもレオナルドは、フレスコ画ではなく、本来は板絵に用いられるテンペラ画法を採用した。

当時は、壁画といえばフレスコ画法で描くものだった。だが、水を混ぜて捏ねた石灰すなわち漆喰を壁に塗り、それが生乾きのうちに短時間で彩色を施すこの画法は、絵筆を動かす以前にまず左官業のような熟練した職人芸が要求され、いざ筆入れが始まると、手際よく彩色作業を進めなければならない。そのためには、壁の下塗りの段階で赤褐色の絵の具を使って画面全体に下描きを施しておく。この下描きをシノピアというが、この段階で仕上がりを想定し、構図を決定しておかなければならない。そしてこのシノピアを覆うように、最も肌理(きめ)の細かい漆喰を上塗りする。漆喰が生乾きのうちはシノピアが透けて見えるので、これを頼りに本番の制作が行われるのである。もうこの段階では筆の迷いや間違いは許されず、もし描き損じれば、漆喰を削ぎ落として再び壁塗りからやり直さなければならない。

こうした制作方法は、レオナルドにはまったく不向きだった。フィレンツェに未完のまま残されたあの《東方三博士の礼拝》を見ても分かるように、そもそもレオナルドの場合、完全主義と優柔不断が相まって、制作に入ってもまだ全体の構図が決まらず、習作素描を何枚も描いてはあれこれ試行錯誤を繰り返し、制作途中で構図を大幅に変更することさえある。したがって彼にはいつでも好きなときに筆を入れることができ、描き直しの可能な画法が必要だった。

徹底した写実表現のための画法

レオナルドがフレスコ画に専心しなかったのには、もう一つの理由がある。それはフレスコ画法のもつ技法上の特質やテクスチャー（絵肌）にある。彼の全作品傾向から明らかなのであえていうまでもないことだが、レオナルドは緻密な筆致に基づく写実を目指した。すでに指摘されているように、それはフランドル絵画のようなリアリズムであり、対象物の質感をそれこそ写真のように緻密に再現するような絵画傾向である。

そのためには、まず長期間にわたって入念に筆を入れる必要がある。しかしフレスコ画の場合、漆喰塗りの壁面が生乾きのうちに彩色を終えなくてはならず、しかも絵の具の塗り重ねができないため、およそフランドル絵画のような写実表現には不向きである。

また、そうした高度に写実的な質感の描写を実現するためには、光沢のある肌理の細かい滑らかな絵肌が必要である。フレスコ画では絵の具が壁の地肌に吸収されるため、絵肌はざらざらした壁の材質感をとどめ、筆のタッチもはっきり残る。こうした画法では細部の描写はきわめて困難である。たとえある程度は実現できても、やはり画面に近付けばどうしても壁の材質感があらわになる。写実絵画というものは、いわゆる目の錯覚を利用し、まるで本物がそこにあるかのような現実感を鑑賞者に与えてこそ成立する仕掛けであり、そのからくりが露呈しては興醒めである。仮にガラスのコップを描いた場合、遠目に見ればガラスの硬質な光沢や透明感がそれなりに首尾よく再現できているようであっても、近付いて眺めれば、やはり壁に筆で色を塗ったものにすぎないという現実が見えてしまう。

それに対し、板の上に絵を描く技法として主流だったテンペラ画法であれば、じっくり時間をかけて制作することが可能だし、滑らかなプレパレーションを施した画面に光沢のある絵肌をつくることができ、緻密な描写に適している。

困難な技法の選択

レオナルドは、テンペラ画法で板の上に描くような要領で《最後の晩餐》を制作したかった。ところが今回は板ではなく、煉瓦（れんが）の壁という支持体の上に制作しなければならない。そこで彼は漆喰の上にテンペラ画法で描く方法を用いる。だが、これが災いし、完成後まもなく絵の具の剝落（はくらく）が始まり、見るも無惨な状態になっていったことはよく知られるところである。

もっとも、壁にテンペラを用いること自体は、レオナルド独自の発想でもなければ無謀な試みでもなかった。すでにチェンニーノ・チェンニーニ（一三七〇頃—一四四〇年頃）が『画技の書 Libro dell'arte』の中で、壁にテンペラを用いる方法を紹介している。また当時は、テンペラに植物性の油を混ぜるという、のちの油彩画法にいたる過渡的な手法もとられていた。とくにミラノはフランスなど北ヨーロッパとの通商の要地であり、フランドルで開発された油彩画技法がこのロンバルディア地方にはいち早く伝わっていた。レオナルドはフランドル技法を参考にしつつ、絵の具の溶剤の研究を行っており、その成果をこの大作に適用したかったにちがいない。

ただし、ここで問題となるのは湿度である。フレスコ画の場合、絵の具は水で溶いて壁に塗られると、絵の具の粒子は壁に吸収され、漆喰が酸素と重合しながら乾燥する過程で壁と一体化する。乾燥した状態の漆喰には微小な孔(あな)が無数にあり、そこから湿気が逃げていく。ところがテンペラの場合、絵の具の粒子を卵黄や樹脂、植物油などで壁の表面に付着させることで、壁の通気性を奪ってしまう。しかもレオナルドは、漆喰にしっかりと定着するようにと、溶剤を使って鉛白を壁に下塗りしておいた。そのため壁の通気性はまったく失われ、カビが繁殖し、壁の中の水分やカビが絵の具の層を押し上げて剝落させることになったのである。

北イタリア諸都市を視察したルイジ・ダラゴーナ枢機卿(すうききょう)に同行した秘書官アントニオ・デ・ベアティスが、一五一七年にサンタ・マリア・デッレ・グラツィエ修道院を訪れ、《最後の晩餐》が「すでに損傷しはじめている」と述べている。レオナルドは一五一九年に六七歳で死去しているので、彼の存命中にすでに絵が傷みはじめていたことになる。デ・ベアティスはフランスのアンボアーズで晩年を過ごしたレオナルドのもとを訪ねたあと、ミラノに赴いている。ならばレオナルドは自らの代表作とその悲惨な状態、そして自らの招いた失敗については結局なにも知らぬまま死んでいったのだろうか。

レオナルドに判断ミスがあったことはたしかだが、それにつけても物理条件が悪すぎたことが不運だった。冬には濃霧にすっぽり包まれるミラノの街には、当時多くの運河があり、道は舗装されずにぬかるんでいた。絵にとって不都合な要素に満ちていたといってもよい。グラツィエ修道院一帯も例外ではなく、レオナルドもそのことを危惧しなかったはずはないが、解決できる問題ではなかった。フレスコ画法を採用すればレオナルドの求めた表現は実現しえなかったし、テンペラ画法ではせっかくの作品もやがて損なわれる。ジレンマである。

洗浄によってよみがえった《最後の晩餐》

二〇年におよぶ修復作業のすえ、一九九九年五月に《最後の晩餐》は五〇〇年ぶりにオリジナルの姿を現した（図4-1）。過去に繰り返された加筆を除去することになり、後世に歪(ゆが)められたこの作品のイメージを取り払ったのである。この修復作業により、レオナルドは油彩画法を用いてこの晩餐図を描いたという通説に反し、伝統的なテンペラ画法を用いていたことや、晩餐室内の左右の壁にはかなり華美なタペストリーが掛けられた光景を描いていたことなどが明らかになり、レオナルドの芸術家像を少々見直す必要が生じてきた。

レオナルドといえば色彩よりも明暗の調子を重視し、計算されつくした構図には、余計なものはいっさい持ち込まない完璧な画格を旨とする画家のように思われがちである。そうした厳格な古典主義者という芸術家像は、一八世紀末から一九世紀前半の新古典主義の思潮においてつくり上げられたイメージで、とりわけゲーテの『イタリア紀行』（一八一六年刊）

図4-1　《最後の晩餐》

によって賛美されたため、《最後の晩餐》は「文学の視覚化」の完璧な例として絵画の最高の手本とされることになったのである。

だが《最後の晩餐》には意外にも派手な演出が目立っている。花柄のタペストリーはもとより、使徒の衣服やサンダルには金色が使われたり、壁画上部のリュネットと呼ばれる半月形の窓のような装飾部分に表されたスフォルツァ家の紋章にも金字が用いられたりと、この壁画はかなりきらびやかな作品なのである。明暗法にしても、《岩窟の聖母》や《モナ・リザ》に比べるとやや軽い扱いがされている。全体として、徹底した写実によって、見る者が目を瞠(みは)るような強烈な効果を狙っているようであり、そこには『天国』や『ダナエ』で観客を沸かせた演出家レオナルドの姿が見えてくるのである。

舞台で演じられた最後の晩餐

今回の修復では、さらに興味深い発見がもたらされた。晩餐図の画面下部、とくにテーブルの下はすっかり黒ずんでいたため、使徒らの足や床の様子がほとんど見えない状態だったが、洗浄作業によってこの部分が明らかになった。それによると、ちょうど晩餐図の画面が終わる下縁部分に水平に走る一本の帯のようなものが描かれており、また、画面の両端を見ると、今度は垂直にやはり帯状のものが描かれている。修復を監督したピエトロ・マラーニはこれをいわば額縁舞台の枠のようなものと考えた。なるほど、この壁画面上に構成された晩餐室の仮想空間は、現実のグラツィエ修道院食堂の横幅よりも広く設定されており、画面の両端の外にまで続いている。そのため晩餐図は、まさに食堂を劇場に見立て、正面に額縁舞台を設え(しつら)たようなイメージとなるのである。

さらに晩餐図の上方に描かれた紋章を伴う色鮮やかな三つのリュネットも、劇場の構造に類似している。晩餐室に描かれた格間(ごうま)天井を見ると、このリュネットの下辺よりも高い位置に設定されており、したがってリュネットが現実の食堂空間と晩餐室の仮想空間とを仕切る壁もしくは垂れ幕のような役割を果たしている。

レオナルド以前に描かれたいくつかの晩餐図、たとえばアンドレア・デル・カスターニョの晩餐図（一四四八年頃、フィレンツェ、サンタポローニア修道院）（図4-2）や、ギルランダイオの晩餐図（一四八〇年、フィレンツェ、オニサンティ修道院）（図4-4）などは、晩餐室が現実の食堂空間と同化するような視覚的効果を狙っている点で、レオナルドの作品の先駆となるものだが、これら二つの作品には、レオナルドの晩餐図のリュネットのような間仕切りはない。ある意味で素直に仮想空間が現実の食堂空間の延長上に設定されている。ところがレオナルドは、さらに一工夫し、晩餐室と食堂とを同一の空間に置いたうえで、それぞれに舞台空間と観客席という異なる機能を割り当てているのである。

もともと中世以来、キリストの受難の物語は、聖史劇としてしばしば生きた人間によって演じられてきた。すでにジョットが描いた《サン・フランチェスコ伝》（アッシジ、サン・フランチェスコ聖堂）や《キリスト伝》（パドヴァ、スクロヴェーニ礼拝堂）の壁画連作にも舞台装置のような場面設定がなされていた。画家たちは、単に登場人物のポーズや身振りだけでなく、舞台背景の扱いについても演劇からヒントを得ていたわけである。

レオナルドの場合、単に画家として俳優や劇場舞台を参考にしただけでなく、自ら舞台美術家・演出家として演劇に参加し、ミラノの宮廷人たちの人気を博していた。したがって彼が、キリストの受難劇を、生身の人間がいままさに目の前で演じているかのように絵画化してみようと考えたとしても不思議はない。《最後の晩餐》は、先達がいまだものしていない超リアルな絵画作品であり、大エンターテインメントなのである。

先達から得たもの

レオナルドが《最後の晩餐》で実現したこうした試みは、まったく独自あるいは特異なものというわけではない。やはりあくまで先達の作品の成果を踏まえ、それを発展させたものである。その意味でレオナルドの作品は、初期ルネサンス絵画の集大成であり、自然主義絵画の発展の帰結であるといえる。もっとも、それはじつに飛躍的な帰結でもあり、それゆえに《最後の晩餐》が完成するやいなや、その評判はヨーロッパ中を駆け巡ったのである。

それまでのレオナルドは、代表作といえる絵画作品を描いておらず、画家としてはいまだフィレンツェ出身の地方画家という程度にしか認識されていなかったようである。演劇や祝祭など、種々のデザインに携わってはいたが、モニュメンタルな、すなわち恒久的な名声を得る仕事をしていなかった。だが、その間にレオナルドは、祭壇画や肖像画といった伝統的で、またある意味でありふれた仕事に束縛されることなく、幅広い豊かな経験を積み重ねることで、イストリア（物語絵）を一気に迫力ある人間ドラマとして完成させることができたのである。

そしてとにかく、レオナルドは先人たちの作品を入念に観察し、するどく分析していた。なにがすでになされ、どのような表現の可能性が残されているのか。解決すべき問題はなにか。レオナルドの《最後の晩餐》には伝統的あるいは通俗的な要素が意外に多く見られるが、革新的な要素はそれを上回っており、その意味でやはりこの作品が美術史上に残る傑作であることは間違いない。傑作であるゆえんを数え上げるには紙幅の余裕がなく、またこれまで幾度も指摘され、賞賛されている点について繰り返し述べても意味がない。そこで、ここではとくにレオナルドが自分の目で見て参考にしたと思われる先のカスターニョとギルランダイオの晩餐図との比較を通して、いくつか気の付いたことに絞って述べたい。

晩餐室内の構造・構成——カスターニョの場合

カスターニョの晩餐図（図4-2）を見ると、一見して奥行きの浅い室内に横長のテーブルが置かれ、このテーブルとベンチおよび一三体の人物像がこの空間を満たしているようである。ところが、カスターニョは意外なトリックを使っている。

天井の格間を見ると、白と黒の線分が交互に並んでいるように見える。しかしこの天井は、真下から見ると一枚一枚が正方形の天井板が市松模様に並べられている状態を想定して描かれたものなのである。だが、ではなぜこれほど格間はつぶれた様子になっているのだろうか。

天井板の枚数を白黒合わせて数えてみると、こちらから見て左右に一四枚、奥行き方向に一六枚並べられている。格間が方眼状になっていることを考え合わせると、この室内は上か

図4-2　カスターニョ《最後の晩餐》

ら見ると左右の幅よりも奥行きのほうがやや長い部屋だということになる。また、正面奥の壁には正方形の色大理石でできた化粧板が横に六枚並べられているが、左右の壁を見ると、ちょうど天井の格間のように、奥行きが圧縮された状態でそれぞれやはり六枚ずつ大理石板が並べられ、向かって右の壁には二つの窓が設けられている。ということは、この晩餐室はほぼ正方形の敷地の上に成り立っているのである。

そこで試みにこの室内の平面図を描いてみると、正方形の室内の一番奥の壁の前にテーブルが設えられ、その向こう側に、ちょうど壁を背もたれにする要領でキリストと使徒たちが着席している（図4-3）。ということは、彼らの手前には、なにも置かれていない床が広がっていることになる。しかも彼らが座しているベンチはコの字形になっており、したがって左右のベンチは部屋の奥から手前まで延び、そこには誰も腰掛けていないことになるのである。なにもない前景が広がり、ずっと奥に主役たちがいる。絵としてはじつに不自然な設定である。

　ところが、一見したところ、この部屋がそれほど奥行きのあるものには見えないし、使徒らがはるか奥にいるという印象もない。なぜそのようなことが起こるかだが、それは透視図法に基づく操作による。当時最新の３Ｄ画像制作のための理論だった透視図法を駆使する画家たちは、仮想空間を描出する際、まず対象物と画家自身との間の距離を設定した。画家の視点を基準として、そこからどの程度離れた位置にある物体がどのように見えるかを正確に描写するためである。カスターニョはこの視距離をひじょうに長く設定しているのである。そのうえで焦点は群像に当てている。したがって、ちょうど望遠レンズで遠くの対象物を撮影したようなイメージになるのである。

　カスターニョがなぜこうした設定をしたのかは分からない。おそらく、当時の宮廷や修道院などで行われた宴会や晩餐会を想定し、部屋の正面奥に主賓席が設けられた

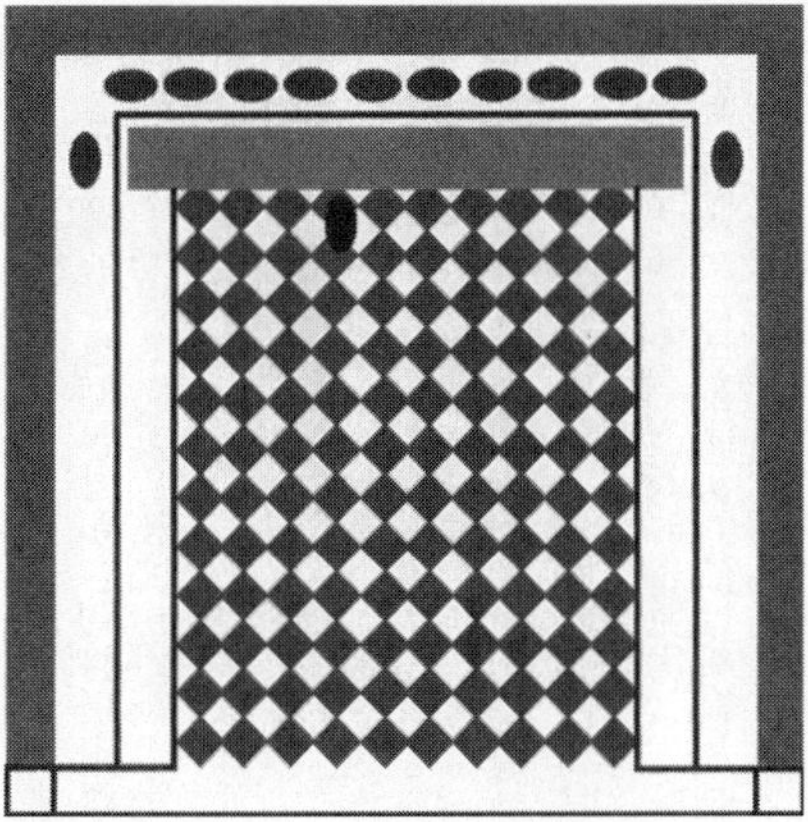

図4-3　カスターニョの晩餐図 平面図

様子を描いたのだろう。この晩餐図が描かれたサンタポローニア修道院の食堂では、キリストと十二使徒らを仰ぎながら、修道士らが会食した。深奥なる神聖空間に座した主賓に対する敬意と、近くに寄ってともに聖餐にあずかりたいという信仰心が、遠くて近いこのような空間表現を求めたのかもしれない。真意はともかく、じつに面白い視覚効果を生むこうした実験的な透視図法の適用は、カスターニョの晩餐図の特筆すべきオリジナリティーである。

ギルランダイオの晩餐室

それに対してギルランダイオの晩餐図（図4-4）は、実際に奥行きの浅い晩餐室を設定している。画面奥のアーチ形の開口部および左右の壁面を見て分かるように、部屋の横幅は奥行きの倍になっている。そしてここにコの字形のテーブルが設えられている。カスターニョの晩餐図が、透視図法的には新奇な試みだったものの、なにもない床と誰も座っていないベンチが手前に延びるという不自然な設定だったのとは異なり、ギルランダイオの晩餐室はごく自然である。しかも、じつはアーチ形の壁面と交差ヴォールト式の天井の構造やデザインは、この壁画がある修道院の食堂のそれと同じに描かれている。したがってギルランダイオは、キリストと十二使徒が現実の食堂の一番奥の壁際にいるという設定で、この晩餐の仮想空間を構成しているのである。透視図法の適用による「だまし絵」効果を狙ったじつに見事な作例である。

図4-4　ギルランダイオ《最後の晩餐》

ギルランダイオは優れた素描力により、人物や動物であれ、静物や建築物であれ、たいへん写実的に表現している。彼は当時第一級の画家だったが、ほどよくまとまった画風には強いインパクトがなく、世俗的な情景描写を得意とする職人的な画家といった程度の評価で終わっている。だが、やはりその力量は並外れたもので、彼の晩餐図に見られる諸要素、すなわち正確な透視図法の適用、人物の年齢や個性の描き分け、身振りやポーズの自然さ、テーブル・クロスの緻密な綾織（あやおり）模様、その上にあるパンやワインや果物の質感など、どれをとってもレオナルドに影響を与えなかったものはないといってよい。彼の晩餐図は、先達の作品から格段に進歩した様相を呈しているのである。

劇的な効果を目指して

だが、カスターニョとギルランダイオの作品は、いまだ因習から脱していない点がある。それは人物表現や舞台演出の点で、まだ古い形式を守っているということである。つまり両者ともユダをひとりテーブルの手前に着席させるという伝統的な配置を踏襲しているのである。

だが決して両者の描く人物が貧弱なわけではない。それどころか、すでに触れたように、ギルランダイオの群像を見ると、年齢や容貌などが巧みに描き分けられ、隣の者に語りかける者、身を乗り出してイエスの言葉に聞き入ろうとする者、両手を胸に当てて自らの心情を訴える者、頰杖をついて思案する者など多様性に富んでおり、しかもおのおのの身振りや動作はユダの裏切りに対するごく自然な心理的反応の表れとなっている。レオナルドの晩餐図は一種の心理劇にたとえられるが、ギルランダイオの作品はその先駆をなすものである。

そのような視点で見ると、これより三〇年近くも前に描かれたカスターニョの作品に、すでにこうした心理描写の試みが見られることは驚きである。ただし、もともとカスターニョの描く人物像は、構造的にがっしりとして、まるで彫刻のような存在感に富んでいるものの、顔は無表情で堅苦しい。そのため身振りは取って付けたようで、白々しさを感じさせる。大根役者ぞろいといったていで失笑を誘うところがある。もっとも、そう感じるのは私たちがレオナルドなどの後世の作例をすでに知っているからで、カスターニョの時代の絵画はまだ人物の容貌や表情を通して性格や心理を表現する段階にまで発展していなかったのだからいたし方ない。そうした状況を考えると、カスターニョは十分に善戦している。当時の人々は、彼の人物表現に演劇的な革新性を覚えていたにちがいない。

　カスターニョとギルランダイオが描いた群像を見て思うのは、いまひとつ迫力に欠ける点である。どの登場人物もしっかり細かい演技をしているのに、どこか空振りしているようで、あまりドラマ性が感じられない。その原因を考えてみるに、十二使徒がみなおとなしく着席していることが大きな要因の一つと考えられるのではないだろうか。要するに、登場人物たちはいずれも手振りだけにとどまり、全身で演技をしていないのである。

　それに対してレオナルドの晩餐図では、イエスの言葉に愕然として思わず立ち上がり、詰め寄る人物が描かれている。それまで静かに会食をしていた使徒たちがパニックを起こし、聖餐の場は一変して驚愕、絶望、相互不信が交錯する荒れ模様となる。カスターニョやギルランダイオの作品に描かれた静謐（せいひつ）な晩餐の光景を見慣れていた当時の人々は、突然その静寂が破られて舞台が急展開を見せたかのような衝撃をレオナルドの作品から受けたはずである。レオナルドがそれを計算に入れていたとは思われないが、先達の作品は、彼の晩餐図の劇的な光景の前振り効果をもたらしたにちがいない。

二　ドラマの表現を完成させたレオナルド

残された習作素描

レオナルドは《最後の晩餐》のために数多くの素描を準備した。思いついたアイディアを素早く描きとめたスケッチ、全体構図の試案、人物の頭部や手足の部分習作など、種々のレベルを示すものである。ただし、レオナルド自身の手で描かれた素描で現存するものは少ない。彼の素描を弟子たちが模写した素描がいくつか残っているので、それらを考慮に入れると、レオナルドがいかに綿密な準備作業をしていたかをうかがい知ることができる。おそらく彼はキリストと十二使徒すべての人物像について、頭部、身体、手足、衣服などの素描を用意したのだろう。

そのことはウィンザー王室図書館に収蔵される《大ヤコブの頭部の習作》、《ピリポの頭部の習作》、《バルトロマイの頭部の習作》、《ユダの頭部の習作》、《シモンの頭部の習作》、《ペテロの右腕の習作》、《ヨハネの手の習作》、そしてキリストの足のための習作ではないかと推測される《右足の比例に関する素描》などを見れば明らかである（図4-5～4-12）。さらに弟子による模写素描が、ヴェネツィアのアカデミア美術館、ウィンザー王室図書館、ミラノのアンブロジアーナ図書館などに収蔵されており、レオナルドの原作素描について考え

図4-5　大ヤコブの頭部の習作

図4-6　ピリポの頭部の習作

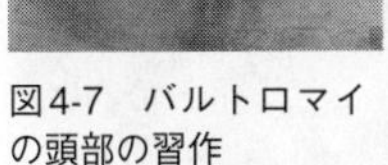

図4-7　バルトロマイの頭部の習作

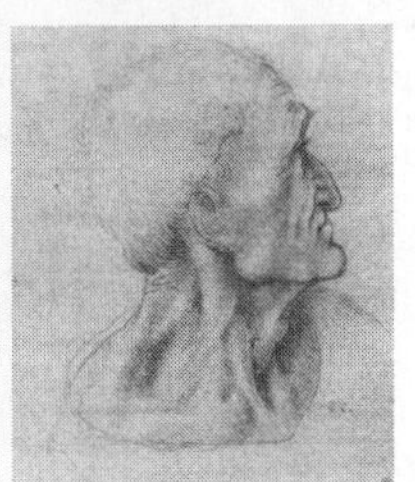

図4-8　ユダの頭部の習作

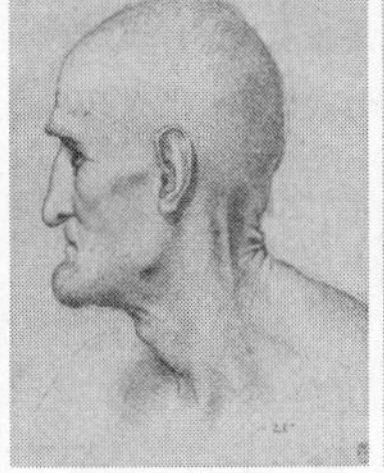

図4-9　シモンの頭部の習作

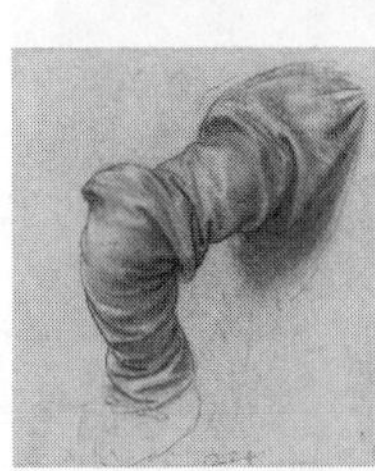

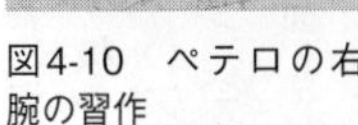

図4-10　ペテロの右腕の習作

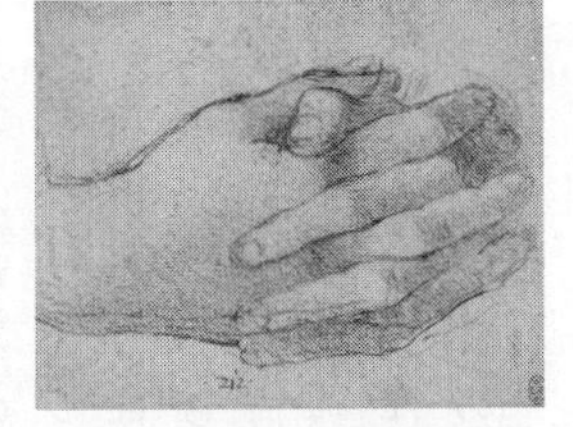

図4-11　ヨハネの手の習作

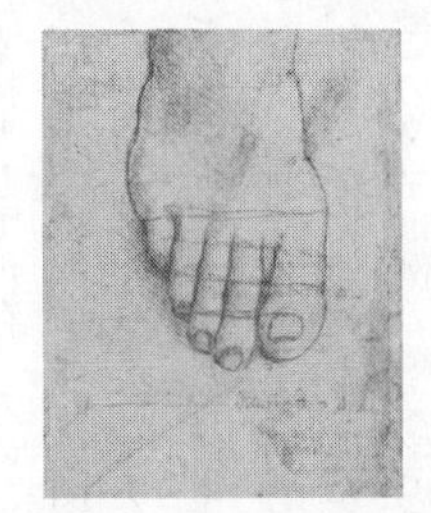

図4-12　右足の比例に関する素描

図4-13　構図習作（Alinari／アフロ）

るための重要な資料となっている。
　全体構図を扱った素描として現存するのは、ヴェネツィアのアカデミア美術館にある構図習作（図4-13）とウィンザー王室図書館のラフスケッチ（図4-14）のみである。前者はキリストと使徒たちを、紙面の都合で上下に分けて描いたもので、各人物像の上に使徒の名前が書き込まれているが、この文字は例の鏡文字と呼ばれるレオナルド独特の文字で、筆跡も彼のものである。したがってこの素描はたしかにレオナルドの真筆のはずだが、人物像の表現にはほかのレオナルドの素描と比べて、彼らしからぬ稚拙な運筆が見られるため、弟子によって描かれたものか、あるいは少なくともレオナルドの簡単なスケッチに弟子が手を入れたものではないかなど、諸説ある。後者は建築や幾何学に関する研究を書きとめた紙の上部に、ユダの所作を中心とした構図のスケッチを二組描いたものである。

図4-14　構図習作

これらの構図習作は、いまだユダひとりがテーブルの手前にいるという伝統的な構図を示しているので、制作過程のかなり初期段階で描かれたものと考えられている。当然ながらそれ以降にもレオナルドはしばしば構図習作を描いて構想を練り、壁画に見られるようなユダがほかの使徒と同じ側に座すという画期的な構図にたどりついたはずだが、残念ながらそれらの習作は現存しない。したがって彼がどのように構図を発展させていったのか、ユダの位置を変えるという大胆な展開がいつ生じたのかを知る手がかりはない。

素描から読み取るレオナルドの意図

とはいえ、現存する素描やスケッチの類を観察するだけでも、部分的ではあるが、レオナルドがなにを考え、どのような問題を解決していったかをはっきりと理解することができる。そこでとくに興味深いのはウィンザー王室図書館収蔵の構図習作である（図4-14）。

紙面の左上に、晩餐のテーブルの右側部分の光景が描かれているが、ここで面白いのは、構図全体を囲む枠が簡略に示されていることである。その上部を見るとアーチ状の構造物が四つほど示されているのがかすかに分かる。これは天井の荷重を支えるために壁の上部につくられた持ち送りで、現在の壁画の上部にあるリュネットではなく、晩餐室の天井のデザインを当初レオナルドはこのように考えていたのである。

ところで、これらの持ち送りの一番右とその隣の関係を見てみると、両者の間に細い柱状の構造物が下方に向かって延びているのが分かる。これは部屋の隅を示している。したがって、この柱から左側は晩餐室の正面奥の壁、右側は晩餐室の右の側壁である。だとすれば、この段階でレオナルドは、奥行きの浅い晩餐室を構想していたことになる。したがって、構図の全体的な見た目の印象は、カスターニョやギルランダイオの晩餐図に類似したもので、晩餐室の構造としては後者に近いものだったのである。しかしどの段階かは分からないが、レオナルドは晩餐室の構造を大幅に変更し、奥行きの深い室内の最も手前に群像を配するという案を打ち出したのであった。

じつは今回の修復作業の過程で、壁画に描かれた晩餐室の天井部分から、尖筆（せんぴつ）によって刻まれた格間の下描き線が発見された。それらは画面の左右の端にまでおよんでいる。したがってレオナルドは構想段階だけでなく、壁画に筆を入れる段階に入っても、当初は奥行きの浅い晩餐室を描くつもりだったと推測される。だが彼は途中で構想を変更し、奥行きの深い室内の表現に切り替えた。そしてもう一度、格間の作図をし直したのである。

このような変更の跡があることからも分かるように、レオナルドは素描の紙面上で構想を練り、構図を完全に決定してから壁画制作に入ったのではなく、まずある程度の段階で壁面上に筆を入れ、途中で必要に応じてまた習作を準備し、場合によっては修正を加えるといったかたちで、何度も試行錯誤を繰り返しながら制作した。あの《東方三博士の礼拝》の場合と同じである。なるほどフレスコ画法を採用できなかったわけである。

ユダの表現

つぎに群像表現を見てみよう。この簡単なスケッチを観察するだけでも、レオナルドの劇的な演出の軌跡をたどることができるのである。まずいま見た紙面左上のスケッチだが、ユダはひとりテーブルの手前に座すという伝統的な扱いになっている。ところが先達の作品と異なるのは、ユダがテーブルに手を伸ばしている点である。カスターニョの場合もギルランダイオの場合も、ユダは単に椅子に腰掛けているだけだった。

しかし福音書を見ると、裏切り者が誰かを示唆するイエスの言葉は、『マタイによる福音書』では「私といっしょに鉢に手を入れた者が、私を裏切るのである」、『マルコによる福音書』では「十二人の一人で、私といっしょに鉢に食べ物を浸している者が、それである」、『ルカによる福音書』では「見よ、私を裏切る者が私とともに手を食卓に置いている」、そして『ヨハネによる福音書』では「私がパンを浸して与える者がそれである」となっている。

したがって、福音書の記述には若干の相違があるものの、いずれにしてもユダはテーブルに手を伸ばすか、イエスとの間にやりとりがあるのである。レオナルドはこの点に着目し、いわばシナリオに忠実な演技を登場人物に求めたのである。しかし問題は、どの福音書の記述に従うかである。スケッチを見たかぎりでは、ユダがテーブルに腕を伸ばしていることは分かるが、手先が鉢に伸びているのか、単にテーブルの上に置かれているだけなのか、それともイエスからパンを受け取ろうとしているのかといった細部については不明瞭である。とはいえ、ユダが具体的な動作を示している点で、すでに先達を超えた新しいユダの表現が認められるのである。

ここでさらにユダの姿勢に着目したい。彼は三本脚の簡素な丸椅子に腰掛けており、そのデザインはカスターニョやギルランダイオの描いた椅子と同じだが、ここで興味深いのは、レオナルドの描くユダの椅子がやや傾き、脚が一本宙に浮いている点である。つまりユダが前のめりになってテーブルに腕を伸ばしているため、重心が前に移動し、椅子が傾いているのである。それは些細な点かもしれないが、決して瑣末(さまつ)な細部描写ではない。人間の動作を物理的に観察・分析するレオナルドとしては、こうした細部にまで徹底したリアリティーを求めずにはいられなかったのである。こうしたちょっとした丁寧な演出の積み重ねが、より自然な情景表現につながる。ここではまだおとなしい表現だが、やがて壁画では使徒ら全員の激しい運動へと発展し、混乱に陥った聖餐の場のどよめきが観客にひしひしと伝わる迫真のドラマとなるのである。

典拠とユダの表現の試行錯誤

つぎにこの右側にあるスケッチを見てみる。ここではイエスのほうに身を伏すヨハネと、もう一人の主要人物であるペテロ、そしてユダの四人が描かれている。ヨハネについては、『ヨハネによる福音書』にある「イエズスの胸の近くには、イエズスの愛する弟子が横になっていた」という記述に基づくもので、カスターニョやギルランダイオとほぼ同じ扱いである。またペテロは、額に手をかざしてユダのほうを眺めている。観客の視線を裏切り者のほうに促すための動作だが、まぶしい陽光が射しているわけでもないのに目を覆うのは大げさである。このような説明的・説話的な人物表現はレオナルドの初期の素描によく見られる。もちろんレオナルド自身もそのわざとらしさに気付いたはずで、壁画ではこのような人物表現は採用していない。

ここで注目すべきは、ユダが席を立ってテーブルに歩み寄ろうとしていることである。先の素描に描かれた、椅子を傾けて身を乗り出すユダでさえも前例のない表現だったのが、ここではさらに発展し、ユダはついに立ち上がっている。もはや先達の作例からの発展どころか、かなりの飛躍といえる。レオナルドはいよいよ伝統に縛られず、自由な演出を始めたのである。

そしてさらに興味深いのはユダとイエスのやりとりである。ユダは皿の上に手を伸ばしている。この動作はイエスといっしょに鉢に手を入れるという記述や、イエスといっしょに鉢に食べ物を浸すという記述を想起させる。ただし、まだ手は鉢に接してはおらず、手を入れようとしているか、もしくは食べ物を浸そうとしている段階である。つぎにイエスを見てみると、なんと左腕が二本描かれている。レオナルドはイエスの手の動きをどうするか思案し、ここでは二通りのヴァリエーションの試し描きをしたものと思われる。

下方の腕は鉢のほうに伸ばされ、そのすぐ先にはユダの手がある。しかし両者ともに手が鉢に触れる寸前の状態である。したがってこの時点では、両者が手を鉢に入れようとしているのか、食べ物を浸そうとしているのかは判別できない。このことは、レオナルドがここで『マタイによる福音書』と『マルコによる福音書』のどちらの記述を採用するか決めかねていることを意味するのだろうか。いや、そうではなく、むしろレオナルドはどちらの福音書の記述とも受け取れるよう、手が鉢に接する直前の状態でとどめおくことにより、観客に解釈の幅を与え、福音書の記述の相違という問題を解決しようとしたのではないだろうか。

さらにレオナルドは、別の福音書の記述をも考慮に入れている。イエスのもう一方の手を見てみると、肘を軽く曲げて手を掲げるような仕草である。これから鉢に手を伸ばそうとしている段階を描いたもののようにも見える。だが、見ようによっては、鉢に浸した食べ物をユダに与えようとしているとも解釈できる。とすればこの動作はイエスがパンを浸して与える者が裏切り者だという『ヨハネによる福音書』の記述を表現したものということになる。
　先出のヴェネツィア・アカデミア素描（図4－13）を見てみよう。そこではイエスがパンをユダの口もとに差し出す様子が描かれている。福音書の記述を見るかぎりでは、具体的にイエスがどのような仕草でパンをユダに与えたのかは定かでないが、イエスの体であるパンを司祭が信者に食べさせる聖体拝領というカトリックの伝統的な儀式に依拠するものとして、イエスがユダの口にパンを与えるという晩餐図の作例はすでにレオナルド以前に存在する。したがってレオナルドは鉢に手を伸ばすというウィンザー素描のイエスに加え、パンを与える動作のヴァリエーションをも考慮に入れ、よって制作過程のある段階では、かなり『ヨハネによる福音書』の記述に傾いていたことが分かる。

サスペンスのハイライトシーン

　レオナルドがいつユダの表現に大胆な変更を加え、ユダをテーブルの手前から向こう側に移動させてほかの使徒たちと同列に置いたのかは不明である。壁画の修復作業では、天井の格間の場合とは異なり、ユダの人物像が描き直された形跡が見られたというような報告はなされていない。したがってレオナルドは、習作素描の段階でこの革新的なユダの表現の構想を打ち出したものと思われる。しかし残念なことに、その決定的な瞬間を示す素描は現存しない。

それはともかく、レオナルドはユダをほかの使徒たちと同列に置くことで、裏切りのドラマを最後の晩餐史上で最も優れた表現として完成させたのである。そもそもユダがテーブルの手前で孤立するという伝統的な表現は、あまりに説明的で、裏切りや陰謀の本質を表現していない。ユダの裏切りとは、いわば思想犯・政治犯としてユダヤ当局から手配されていたイエスの居所をユダが官憲に密告した行為のことである。密告というのは人知れず行われるからこそ裏切りになるのであり、その張本人がいかにもそれと分かるように孤立して表現されては、密告でも裏切りでもない。

もっとも、それは裏切り者が誰かを観客に分かるようにとの配慮であり、また、もともと誰が裏切り者であるかは、すでに晩餐図を見る観客はみな知っている。それにユダの裏切りとイエスの受難を絵に描いて見せることで、観客の心に懺悔(ざんげ)の念を喚起することが晩餐図の教育的意図でもあった以上、ユダを裏切り者として際立たせるという表現形式も、それはそれで理に適(かな)ったものではあった。だがレオナルドは、晩餐図をあくまでドラマとして、そしてリアルタイムの事件として顕在化させようとしたのである。

彼の演出はまさにサスペンスドラマのハイライトシーンといえる。とくにユダとペテロとヨハネの三者の構成は見事である（図4-15）。ペテロはヨハネに耳打ちし、裏切り者とは誰のことかイエスに尋ねるよう合図している。これは『ヨハネによる福音書』の記述に基づいている。そしてイエスの隣に座すヨハネは、イエスのほうに身を伏して嘆くという伝統的表

現から脱し、ペテロの言葉に耳を傾けている。若く美しいヨハネと険しい表情の初老のペテロとの対比が見事である。第一の弟子としてイエスの信頼を得ていたペテロはたいへんな熱血漢で、右手にナイフを隠し持ち、裏切り者が誰か分かったら刺し殺そうという物騒な構えなのだが、じつはその裏切り者は彼の目の前にいるのである。ペテロはもとより、使徒たちの誰もそのことには気付いていない。ユダはこのキリスト教団の会計係という重任にあずかり、皆から信頼されていた人物である。その彼が裏切り者だと疑う者はいなかった。

図4-15　ユダ、ペテロ、ヨハネ

　だが、最も近くにいる者、最も信頼されている者が裏切るゆえに裏切りなのである。裏切り者は内部に潜む敵のことであり、信頼を前提にして初めて裏切りは成立する。そこに悲劇がある。レオナルドはそのことをよく理解していた。それゆえに第一の弟子であるペテロとイエスが最も愛した弟子ヨハネの間近にユダを配したのである。人間社会の仕組みに対するレオナルドの洞察力はじつに見事である。しかもここでレオナルドはドラマを見る観客の心理を的確につかみ、揺さぶりをかけている。裏切り者が誰かをすでに知っている観客は、劇中の人物がそれと知らずに犯人のすぐそばに身を置いているのをはらはらしながら見ることになる。観客はつい彼らに犯人が誰かを教えてやりたい気持ちに駆られ、やきもきする。これは今日でも推理小説やサスペンスドラマ、ホラー映画などで頻繁に用いられる手法である。

ユダの心境もじつによく表現されている。イエスから自分が裏切り者であることを暗に指摘された彼は愕然としてがっくりと肘をテーブルにつく。彼の傍らではペテロがナイフを構えて犯人の割り出しと処刑(リンチ)を目論んでいる。ユダとしては、それこそもう生きた心地がしないはずである。

構図習作に描かれていた当初のユダの表現は、先達の表現を超えるものだったとはいえ、まだ福音書に描かれたユダの所作の図解にとどまっていた。裏切りや陰謀といったものがいったいどのような事件なのか、裏切る者と裏切られる者、そして周囲の関係者がどのような動きに出るのか、どのような力学が働いて、調和のとれていた人間関係に歪みが生じ、大きな波紋となって広がり、やがて崩壊するのか。レオナルドは、裏切りという事件の発生が人々の心の内に不安感を生み、それまでの信頼関係という社会基盤がにわかに揺らぎはじめる様子をしっかり見据え、人間の哀しい本性をあらわにして観客に見せつけたのである。

おそらくレオナルドは、この種の裏切りや陰謀、相互不信、中傷誹謗、権力抗争、出世と失脚など、ミラノ宮廷に渦巻く人間の欲望のドラマを現実に見聞きしていたことだろう。もともと不遇な少年時代を過ごしたレオナルドには人間不信の傾向があり、そうした人間社会の暗黒面に対してとくに敏感で、かつ嫌悪感を抱いていたことだろう。この《最後の晩餐》を見た当時のミラノの宮廷人や要人たちのなかには、思わず冷や汗をかいた者もいたのではないだろうか。その意味でこの晩餐のドラマは、その裏にレオナルド自身の辛辣（しんらつ）な社会批判が仕組まれているともいえるだろう。

三　成功と悲運

画家としての栄誉

《最後の晩餐》は一四九七年末もしくは遅くとも一四九八年初頭に完成し、絶賛されることになった。この成功に満足したのはレオナルドばかりでなく、イル・モーロもさぞかし鼻が高かったことだろう。そして権勢欲の強いこの領主は、さらにスフォルツァ城内の「アッセの間」と呼ばれる広間の壁から天井にかけて、大規模な装飾を施すようレオナルドに依頼した。

レオナルドは四方の壁に林立する大樹を描いた。その群葉は天井へと続き、生い茂る枝葉が天井を覆いつくし、しかも幾本もの枝は組紐（くみひも）紋様のように複雑に絡み合う（図4-16）。一

図4-16　「アッセの間」の装飾（Bridgeman Images／アフロ）

種の幾何学的な遊びを応用したこの室内装飾は、城の内部に、現実の建築構造という障壁を感じさせないバーチャルな屋外空間を演出したものである。現在は傷みがひどいために完成当時の視覚的効果はかなり損なわれているものの、当時この広間に足を踏み入れた者には、まるで森の中に迷い込んだかのような錯覚と心の安らぎを与えたことだろう。

　後世、とくにバロック時代にはこのような「だまし絵」効果を用いた聖堂や宮殿の内部装飾が大流行するが、レオナルドはそうした時代の流れに多大な影響を与えた。この「アッセの間」の装飾はいわゆる絵画作品ではなく、あくまで装飾であり、かつ遊戯的な性格が強い。だが、ここでも総合デザイナー、そしてドラマティックな演出で人をあっと驚かせるエンターテイナーとしてのレオナルドの資質が発揮されているのである。

ミラノ時代のつかの間の幸福

一四九八年は、レオナルドにとって最も幸福な年だったかもしれない。《最後の晩餐》と「アッセの間」の装飾を完成させたレオナルドは、四月に領主イル・モーロから果樹園の土地を与えられた。おそらくレオナルドが大作をつぎつぎに完成させたことへの褒美の意味があったと思われる。レオナルドの手稿の中に、土壌の成分調整に関するメモがある。ブドウ栽培に適した土をつくる方法についてのメモで、おそらくこのメモはイル・モーロから拝領した果樹園に関するものだろうと推測されている。

レオナルドは土地を得たことが嬉しかったにちがいない。そこで良質のブドウを栽培し、美味(うま)いワインをつくる。それにはまず良い土をつくらなければならない。彼はそのための方法をあれこれ思案しているのだが、そこには自家製ワインを醸造することを楽しみにしているレオナルドの顔が見え隠れする。いまや彼は地主となったわけである。

自分の農地を所有し、そこから収穫された商品作物を売って収入を得る。当時の画家たちの多くは、小さな工房を間借りして仕事をし、一家はアパート暮らしという、一介の職人としての慎ましい生活を強いられていた。だが、レオナルドはスフォルツァ城内に工房を構え、果樹園を所有する。彼はいわば資産家となったわけで、画家としてはたいへんな出世である。

もともとレオナルドの実家も、父親が公証人としてフィレンツェで働きながら、ヴィンチ村に土地を所有し、農民に貸し付けるなどして安定した収入を確保していた。祖父や叔父が定職につかずにのんびりと生活できたのはその不動産のおかげだった。レオナルド自身、そうした資産運用の仕方を幼い頃から目にしてきた。私生児としての負い目を感じながら生きてきた彼は、このとき人生の成功の味を嚙み締めていたにちがいない。

とはいえ、これには裏がないわけでもない。ブドウ園は特別な褒美ではなく、《最後の晩餐》や「アッセの間」の装飾、そして計画中止となった《スフォルツァ騎馬像》など、一連の大仕事のための現物支給による報酬の意味合いがあったとも考えられるのである。というのも、レオナルドの「アトランティコ手稿」中に、ちょうど《最後の晩餐》制作中にイル・モーロに宛てた嘆願書の草案があるが、そこにはすでに二年間も給与を貰い受けていない旨、さらに別の紙葉では二年間給与の支払いが滞り、工房の助手や職人たちの小遣いなどを自分で払っている旨を訴えている。

このことは、単にイル・モーロがレオナルドに対する給与の支払いを家臣に命じるのを忘れていたといったことだけではなく、当時大きな脅威となっていたフランスに対する防衛対策等にかなりの財源を割いていたために、レオナルドの給与等、諸経費のことにまで気が回らなかったというイル・モーロの精神状態やミラノ財政の窮状をうかがわせるものとも推測できる。実際、イル・モーロは、すでに触れたように《スフォルツァ騎馬像》の鋳造直前になって、そのためのブロンズを大砲製造用にフェッラーラ公に譲渡してしまった。すでに彼は国防費を最優先させざるをえない状況に追い込まれていたのである。

それに、じつは現金による報酬ではなく、贈与された土地の運用による収入をそれに代えるという前例は、すでにフィレンツェ時代のレオナルドは経験していた。あの《東方三博士の礼拝》の委嘱の際に、注文主のサン・ドナート・ア・スコペート修道院は、現金の支払いではなく、修道院所有の土地を一定期間レオナルドに貸与し、レオナルドはそこから得た収入を祭壇画制作の報酬として受け取るという契約を交わしていた。

ブドウ園が贈与された際の実情については、もはや詳細を知ることはできないが、レオナルドとしては手放しで喜べるような褒美でもなかったかもしれない。それに不運なことに、翌一四九九年、レオナルドはすべてを捨ててミラノを去ることになるのである。

ミラノ陥落

フランスはヨーロッパ諸国のなかでいち早く統一国家の形成を果たしていたが、国王シャルル八世はナポリ王国の王位継承権を求めて一四九四年にイタリア遠征を開始した。このとき、かねてからナポリとの関係が芳しくなかったイル・モーロは、強国フランスを支援してミラノの保全を確保しようとした。だが、一四九八年にシャルルが没し、オルレアン公がルイ一二世として王位に即くと、かつてスフォルツァ家にミラノの政権を譲ったヴィスコンティ家と親戚関係にあったルイは、ミラノの領主権を主張し、一四九九年一〇月六日、ついにミラノに侵攻してこれを占領した。

このとき、領主ロドヴィーコ・スフォルツァはあっさりと勝負を捨て、ミラノを脱出してしまった。もともと軍事技術大国だったはずのミラノだが、フランス軍の圧倒的な軍事力にはまったく歯が立たなかった。というよりも、じつはそれまでイタリア国内では全面的で徹底的な軍事行動による戦闘はあまり行われなかった。当時のイタリアはいくつもの都市国家に分かれ、絶えず勢力争いがあったとはいえ、やはり民族を同じくする者同士であり、為政者たちの政略結婚により、都市国家間にはじつに複雑で緊密な血縁関係の網が張りめぐらされていた。したがって都市国家間の闘争は武力よりもむしろ政治的な駆け引きによって決まった。しかも諸都市国家は対立するばかりでなく、互いに相手を利用し合った。どの都市も、ある都市と同盟関係を結んだかと思うと、裏ではほかの都市と密約を交わすといった調子で巧妙に立ち回ったが、要するに諸都市国家はイタリア半島という狭い世界のなかでの内輪もめをしながらも共存していたのである。

それにフィレンツェに代表されるように、有力な都市国家の多くが商業国家であり、自前の軍隊を持ち合わせている都市国家は少なかった。戦争の際には傭兵が雇われて代理戦争が行われるが、彼ら傭兵にとって戦争はビジネスであり、彼らは都市国家に忠誠を誓ったわけではなく、あくまで契約を交わしただけである。ゆえに実際の戦争で多くの命が奪われることはあまりなく、儀式的な戦闘や傭兵隊長同士の裏取引などで勝敗が決まった。したがって都市国家としては、都市が戦場と化すような全面的な軍事行動の経験はなかったのである。すでに見てきたように、レオナルドが発明した軍事兵器には、どこか遊戯的な性格が漂っていたが、要するに敵を圧倒して戦意を喪失させたり、盛大な軍事パレードを彩るのに相応しい兵器であればよかったのである。

だが、民族を超えた戦争では、容赦のない徹底的な殺戮や略奪が行われる。そのためロドヴィーコ・スフォルツァは恐れをなして遁走（とんそう）した。翌年にスイス人傭兵を雇ってミラノ奪還を図ったが、結局その傭兵の裏切りによって捕えられ、八年後にフランスで獄死する。皮肉なことに《最後の晩餐》はスフォルツァ政権の最後を予感させるような作品になったのである。

ミラノ陥落後の足取り

フランス軍によるミラノ占領に伴い、レオナルドはミラノ退出を余儀なくされた。彼はマントヴァやヴェネツィアに立ち寄るが、その目的はあまり分かっていない。おそらくは主君を失い、保護と新たな活動の場を求めて、思い当たる有力者のもとに身を寄せようとしていたのだろう。その際、彼の最大の武器はなんといっても美術家および技師としての才能とミラノ宮廷での実績、そして知名度である。

さらには音楽家や祝祭意匠家といった、いわば芸能関係のクリエーターとしての才能およびその方面での人間関係も頼みの綱だったにちがいない。実際、レオナルドは本来の職業である画家としてではなく、むしろ音楽家や楽器製作者としてミラノ周辺の諸都市でも活動していた記録がある。ミラノ陥落の前年に、彼はどこか複数の都市を訪ね歩いたらしく、その途上、北イタリアで最も文化の香り高いマントヴァに立ち寄っている。

その際、マントヴァ侯がゴイトにある別荘から一四九八年一二月一三日付けの手紙を財務官に送っているが、その内容は「現在訪問中のフィレンツェ人レオナルドに、彼がリュートとヴィオラに使用した多量の弦の代金を支払い、彼が旅立てるよう速やかに取り計らってほしい」というものだった。

レオナルドに関する文書記録を丹念に収集した研究者ルカ・ベルトラミは、この「フィレンツェ人レオナルド」がはたしてレオナルド・ダ・ヴィンチであったか否かについて疑問を抱いている。ミラノ宮廷での日誌や書簡では、たいていレオナルドには画家の師匠・親方を意味する「マエストロ」という敬称が付されているからである。だがレオナルドはしばしば「フィレンツェ人画家レオナルド」とも称されている。それに、宮廷の記録係がレオナルドに対して敬称を用いるのは分かるが、マントヴァ侯が一人の画家に対して敬称を用いなかったとしても不思議はない。

それにここで気になるのはフィレンツェ人レオナルドが「リュートとヴィオラに使った多量の弦」という記述である。これは何台もの楽器が使われたということだろうか。あるいは、例のヴィオラ・オルガニスタのような機械仕掛けの楽器が演奏され、そのために多量の弦が必要だったとも考えられる。

この人物がレオナルド・ダ・ヴィンチならば、彼は楽器もしくは機械式自動楽器の演奏をするためだけにマントヴァを訪れたということだろうか。マントヴァといえば、絵画の収集家・パトロンとして著名な侯妃イザベッラ・デステの存在で知られるが、彼女から絵画制作の依頼はなかったのだろうか。じつはこの年の四月にイザベッラは、レオナルドが一四八三年にロドヴィーコ・イル・モーロの愛妾を描いた《白貂を抱く婦人》（図4―17）を見たいと、この絵のモデルで所有者のチェチーリア・ベルガミーニに借用を請う書簡を送っていた。後述することになるが、イザベッラはこの絵を見て、ぜひ自分の肖像画

図4-17　《白貂を抱く婦人》

を描いてほしいとレオナルドに執拗に依頼するのである。だとすれば、レオナルドが一四九八年末にマントヴァを訪れた際には、絵画制作の委嘱といった話はなかったのだろうか。

とはいえ、レオナルドはこの年の三月以降、例の「アッセの間」およびスフォルツァ城内の諸装飾に着手しており、またおそらくはフランスの不穏な動向に備えて、すでになんらかの軍事的な職務に従事していた可能性もある。おそらくマントヴァを訪れたにしても、先の書簡に「彼が旅立てるよう速やかに取り計らってほしい」とあったように、多忙ゆえに早々にミラノに戻る必要があったのだろう。

マントヴァ侯妃イザベッラ・デステの肖像

さて、話はミラノを去ったあとのレオナルドの足取りに戻るが、彼は一五〇〇年の二月にマントヴァに立ち寄っている。したがって、おそらくミラノが陥落した一四九九年一〇月六日以降、その年の終わりか翌年初頭まではミラノにとどまっていたものと思われる。どうやらレオナルドは、ミラノ宮廷で軍事技師として重用されていたためにフランス軍から追われる身となり、ミラノを脱出せざるをえなかったというわけではなく、自分の意思でしばらくミラノを動かなかったらしい。

理由は定かではないが、もともと息苦しいフィレンツェを離れてこのミラノにおいて多方面での活動が可能となったわけだし、彼の生涯においてミラノ滞在期間が最も長いことからしても、とにかく彼はこの地が気に入っていたようである。イル・モーロにも恩義があり、彼が機会をうかがっていずれミラノの奪還に乗り出すことも予測していただろう。人間性はともかく、大国ミラノの領主として数々の文化事業を興し、レオナルドに活躍の場を与えてくれた君主である。彼としてはこの理想的な環境から離れ難かったにちがいない。

それに、イル・モーロとはあくまで契約関係で結ばれていただけであり、軍事面に携わっていたとはいえ、フランス軍から個人的に敵対視されるいわれはない。才能と実力で諸国を渡り歩き、ときには昨日の敵に仕えることさえあるのが、ルネサンス時代のコスモポリタンたちに共通の習性である。しかし、ミラノにとどまっても、いつ以前のように活動できるかは分からない。そうとなれば新たな縁を求めて行動を開始するしかない。彼がマントヴァに向かった理由は、先にも触れたように定かではないが、前年にマントヴァ侯の前で楽器を演奏したのがレオナルドだとするならば、そのときの縁故を頼ってここに身を寄せようと考えたのかもしれない。

ところがレオナルドはここで奇妙な振る舞いをする。あの侯妃イザベッラ・デステがレオナルドに肖像画の制作依頼をしてきたのに、レオナルドはあまりその仕事に乗り気ではなかったらしく、彼女の素描を描いただけで、早々にマントヴァを立ち去ってしまったのである。しかもこの《イザベッラ・デステの肖像》（図4-18）を見ると、柔らかい肌の質感を生々しく感じさせるようなレオナルドらしい見事な素描ではあるが、イザベッラの頭部は完全な横顔で表されている。

為政者や名士たちの肖像画が盛んに描かれるようになったのは一四五〇年代だが、その当時は古代ローマの金貨に彫られた皇帝の肖像などに倣って、もっぱら横顔形式の肖像画が描かれた。また横顔は彫りの深い西洋人の顔の特徴をとらえやすく、それに早く描くことができる。画家たちは祭壇画のような大作を描くことを名誉と考え、肖像画はいわばサイド・ビジネスだったので、早く描いて早く納品できる横顔形式は彼らにとって都合がよかった。そうした肖像画は、今日で言えば証明写真のようなもので、当然ながら芸術性はあまり求められていなかったのである。

図4-18　《イザベッラ・デステの肖像》

しかしレオナルドは先の《白貂を抱く婦人》では顔を横向きではなく、やや斜め向きの微妙な角度で描いている。しかもそこには、モデルがふとなにかに気付いて振り向くという生き生きとした表現が取り入れられているのである。これはもはや単なる証明写真や似顔絵といったレベルのものではなく、明らかに物語絵と同様のドラマ性を持ち込んだ芸術性の高い一枚の絵画作品である。おそらくこの作品のそうした革新性にイザベッラは感銘を覚え、ぜひ自分の肖像画も、と望んだのだろう。

　ところがレオナルドが描いた素描は、胸部が正面向きで頭部が横向きという工夫は見られるものの、やはり頭部はあくまで伝統的な横顔である。もっともレオナルドは別に手を抜いたわけではなく、むしろモデルの容貌の特徴を的確に把握するために、横顔の素描から始めたのだろう。人間の頭部の比例を研究する際に、レオナルドはこうした横顔のスケッチを数多く描いている。したがって、まずは分析的な観点から横顔を描きとめておいたのだろう。しかもおそらくレオナルドが実際にイザベッラを写生した際には、ごく簡素なスケッチ程度のものだったはずである。

　というのも、レオナルドはこの《イザベッラ・デステの肖像》素描をマントヴァ滞在中ではなく、次に立ち寄ったヴェネツィアで現在の段階にまで仕上げたと思われるからである。

ヴェネツィアへ

　一五〇〇年三月一三日にグスナスコなる人物がヴェネツィアからイザベッラ・デステ宛に書簡を送っている。「それでレオナルド・［ダ・］ヴィンチはヴェネツィアにおりまして、彼は侯爵夫人様の肖像画を私に見せました。それはまさにあなた様に生き写しです。じつによい出来ばえで、これ以上のものを描くのは不可能でしょう」と。

要するにレオナルドは二月にマントヴァに立ち寄り、翌月にはもうヴェネツィアに移動していたのである。そしてグスナスコがこの肖像画、といっても素描だが、その出来ばえをあえてイザベッラに書面で知らせたということは、レオナルドのマントヴァ滞在中にはまだこの素描は描かれていなかったか、少なくとも現在の状態にまでは描き進んでいなかったからにほかならない。

なぜレオナルドがマントヴァを早々に立ち去ったのか、イザベッラとの関係が芳しくなかったのか、そのあたりの状況についてはまったく知る術がない。芸術愛好家であることを自負する高慢な侯爵夫人と肌が合わなかったのではないかという説もある。たしかに、とりあえずヴェネツィアで《イザベッラ・デステの肖像》を描き進め、それほど出来ばえのよいものであれば、グスナスコに代弁などさせずに、レオナルド自らイザベッラに書簡を送ってもよさそうなものである。

もっとも、グスナスコが賛美しているとはいえ、この横顔の肖像素描はやはりいまだ下絵のまた下絵の段階だったのだろう。レオナルド自身この段階でイザベッラに見せるつもりはなかったろうし、イザベッラとしてもとうてい納得できるものではなかっただろう。そしてレオナルドは、その後イザベッラから再三にわたって催促の書簡を受け取るが、結局この素描を板絵にすることはなかったのである。

ヴェネツィアでのレオナルド

ところでこのグスナスコという人物は、フルネームをロレンツォ・グスナスコ・ダ・パヴィーアといい、ミラノ、フェッラーラ、マントヴァといった北イタリア地方で楽器製作者として高く評価されていた人物であり、レオナルドとはミラノ宮廷で親交をもった。

レオナルドはヴェネツィアでグスナスコのもとに身を寄せていた。つまりレオナルドは楽器製作といういわば同業のよしみで、グスナスコを頼ってヴェネツィアにやってきたのである。じつのところレオナルドがどういう経緯でヴェネツィアに赴くことになったのかは、やはり記録がないので分からないが、少なくともこの海運国に招かれたわけではなさそうである。むしろ当時ヴェネツィアはミラノとはかなり対立的な立場にあり、フランス軍のミラノ侵攻の際にはその同盟国として振る舞い、領土拡張という分け前を得た国である。

そんなヴェネツィアに乗り込むのは、レオナルドにとってはかなりの冒険だったにちがいない。ここでも、ある意味で最初にミラノに移住したときがそうだったように、レオナルドはまず知人の家に仮住まいし、徐々に活動の足掛かりを得ようとしたものと思われる。

一五〇〇年当時、ヴェネツィアはすでに対トルコ戦争で領土を大幅に失い、それまで無敵を誇っていた大艦隊にとってトルコは最大の脅威となっていた。そこでレオナルドは、種々の防衛策や海戦術、航海術、敵戦艦の破壊工作術など、持ち前のアイディアをヴェネツィア政府に提言した。このとき彼はチューブで空気を送る潜水具や水中を潜航する船など、奇抜な新兵器のスケッチを残しており、そうした発明に夢中で取り組んだらしい。

だが、彼の提言が受け入れられたという記録はない。それに彼自身も手記の中で、そうした兵器がしょせん戦争の拡大化、暴力という人間の愚行を助長するものでしかないといった述懐をしており、軍事に本気で関わる意思があったのかどうかも疑わしい。やはり彼は芸術家であり空想家だったのだ。

また、レオナルドはこの頃に印刷機の改良案なども残している。当時のヴェネツィアは地中海世界有数の海運国であり、したがって中世ヨーロッパ文化、東方文化および盛期ルネサンス文化が融合する文化芸術都市だった。美術はもとより音楽も盛んで、ヨーロッパでいち早く楽譜の印刷が行われたのもここである。おそらくレオナルドは、そうした文化的な工学機器の開発にも携わりたかったのだろう。しかしすでに爛熟（らんじゅく）したヴェネツィアの芸術界に参入することは叶わなかったようである。とはいえ、明暗法やスフマートなど、レオナルドの絵画様式や技法が、ジョルジョーネなどヴェネツィア派の画家たちを刺激したことはよく知られるところである。

こうして結局レオナルドは、ヴェネツィアにも長期滞在することはなく、翌四月にはかつての故郷フィレンツェに帰国している。ミラノを出たあとすぐにフィレンツェを目指さなかったのは、やはりフィレンツェでの青年時代によい思い出がなかったからだろう。ミラノは独裁者に支配される都市ではあったが、うまく取り入ることさえできれば、自由な活動や華々しい大プロジェクトに参画することができた。しかし人口過密の閉塞的なフィレンツェではそれは望めなかったし、共和国では宮廷画家という地位を得ることも叶わない。とはいうものの、北イタリアに仕官の道がないとなれば、古巣に戻るよりほかはない。

第五章　夢想家(ファンタジスタ)レオナルド

一　フィレンツェ帰還

新生フィレンツェでの再出発

ヴェネツィアを発ったレオナルドは、一五〇〇年四月二四日にフィレンツェのサンタ・マリア・ヌオーヴァ病院から預金を引き出している。したがってこのときにはすでにフィレンツェにいたことになる。当時のこの病院は銀行を兼ねており、レオナルドは前年の一二月一四日、ミラノを発つ前に財産をここに移していたのである。

その頃フィレンツェでは、無事に新世紀を迎えたことに人々が安堵し、都市の再興を図ろうという気運が芽生えていた。前世紀末すなわち一四九〇年代に入ると、九二年に政治的経済的指導者であったロレンツォ・デ・メディチが死去し、すでに傾きはじめていたフィレンツェの経済はますます悪化した。さらに九四年には、フランスの侵略を恐れたメディチ家が単独でフランスと交渉しようとしたため、市民の反発を買って追放された。こうしてまさしく世紀末的な暗雲が立ちこめると、ついに世界の終末と最終審判の日がやってくるという恐怖に取り憑かれた市民たちは、サン・マルコ修道院長サヴォナローラの煽動的な説教に突き動かされ、非キリスト教的な文化芸術やキリスト教的道徳観に反する裸体画といった美術品を焼却することによって懺悔するなど、ヒステリックな集団行動に走った。意外にもフィレンツェは、時代の最先端を行く都市であると同時に、キリスト教的な倫理観を固持する保守的な精神風土をも持ち合わせた都市だったのである。

ところが、サヴォナローラ主導の粛正政策はフィレンツェの政治経済を回復させることはなく、やがて市民は彼こそが世界の終末に現れて人心を惑わすアンチキリストであるとみなした。またサヴォナローラがヴァティカン批判をしたことに対して教皇が報復に出た結果、一四九八年に彼はシニョリーア広場で火刑に処せられた。そして世界終末の日が訪れることなく新世紀を迎えたことで、市民たちは恐怖から解放され、世紀末の政治的・精神的混乱から立ち直ろうとしはじめていた。

レオナルドがフィレンツェに戻ったのは、ちょうどこうした状況のもとだったのである。したがって《最後の晩餐》で一躍有名になったフィレンツェ出身の巨匠の帰還は、市民に大きな希望を与えたにちがいない。そしてレオナルドは、翌一五〇一年にサンティッシマ・アンヌンツィアータ聖堂から祭壇画《聖アンナと聖母子》の委嘱を受け、そのために制作したカルトンすなわち原寸大習作素描は、一般公開されて絶賛された。その際のカルトンは現存しないが、別の一枚が今日に伝わっている（図5―1）。ヴァザーリなどは『美術家列伝』の「レオナルド伝」の中で、町中の老若男女がこの下絵を見に集まり、まるで祭日のような賑わいだったと語っている。もっとも、例によってレオナルドはこの絵を完成させず、現在は未完成の板絵がルーヴル美術館に収められている（図5―2）。

その後、彼はミラノを占領していたフランス国王ルイ一二世の希望によりミラノに招聘され、しばしばフィレンツェとミラノの間を行き来し、さらに港湾改築、運河建設、要塞建設などの事業に関わるなど、多忙な生活を送る。この頃レオナルドは、フィレンツェの対ピサ戦の軍事目的からアルノ河の水路を変更する計画に参画し、ピサに注ぐ河口を現在地よりも南方に移すという大胆不敵な計画案を提出し、一時はその実現のために実地調査を行ったことが分かっており、アルノ河流域の地図などを描き残しているが、結

図5-1　《聖アンナと聖母子》のカルトン

図5-2 《聖アンナと聖母子》

局この計画も中断され、うやむやになってしまった。やはりレオナルドには土木技師としての現実性が欠けていたということかもしれない。

幻の壁画競作《アンギアーリの戦い》

一五〇三年一〇月、レオナルドはフィレンツェの政庁であるヴェッキオ宮内の大会議室「五百人の間」の壁に、《アンギアーリの戦い》を描くことになった。これは一四四〇年六月二九日にフィレンツェ軍がミラノ軍を打ち破った戦いを記念する大合戦図である。仕事とはいえ、愛するミラノが敗北するさまを描くことになった気持ちはどうだったのだろうか。

　それはともかく、この壁画制作はフィレンツェ再興事業の一環ともいうべき一大プロジェクトだった。というのも、レオナルドの壁画に対し、新世紀のフィレンツェを象徴する巨大な《ダヴィデ》像を制作して新進気鋭の天才彫刻家として注目されるミケランジェロが、会議場の別の壁面に《カッシーナの戦い》を描くことになったからである。この夢のような競作をフィレンツェ市民たちは大きな期待を抱きながら見守ったはずである。

図5-3《アンギアーリの戦い》の習作

　レオナルドはこの仕事に意欲的で、数多くの馬や戦士の習作を準備し（図5-3、5-4）、さらに《最後の晩餐》の場合がそうだったように、壁面にテンペラ画もしくは油彩画に似た技法で彩色する方法についても検討を重ねた。そして一五〇五年六月六日、準備の整ったレオナルドはいよい

図5-4　戦士の習作

よ壁画に着手することになった。ところが彼自身の記録（マドリッド手稿）によると、当日は暴風雨のため、用意しておいたカルトンが破壊されてしまったというのである。室内での制作でいったいなぜそうした事態が生じるのかは不明だが、とにかく彼の自筆記録にはそう記されているのである。その後改めて彼は制作を開始するが、アノニモ・ガッディアーノの『レオナルド伝』によれば、絵の具を早く乾燥させるためにレオナルドが用いた技法に問題があり、火を焚いて壁面を熱するうちに絵の具が溶解するという事故が発生した。

こうした災難が重なったためか、レオナルドはしだいに制作続行の意欲を失ったようで、結局この委嘱についても、一五〇五年の一〇月末に壁画のための支払いを受けた記録があるが、それを最後に理由がうやむやのまま実現されずに終わることになる。しかし合戦図の中心主題である「軍旗争奪」の場面はある程度描き進められたらしく、ほかの画家たちがその様子を模写している（図5-5、5-6）。わずかに壁面に残っていたと思われるその場面も、その後ジョルジョ・ヴァザーリがこの会議場の四方の壁に別の連作を制作することになったため、もはや現存しない。したがって「軍旗争奪」部分の様相はかろうじて今日に伝わっているが、この大壁画全体については、はたしてレオナルドがどのような構想を抱いていたのかを知るこ

図5-5《アンギアーリの戦い》の模写

図5-6　ルーベンスによる模写

図5-7　想像復元図

とはできない。レオナルド研究者カルロ・ペドレッティはレオナルドが残したスケッチ類をもとに全体構図の想像復元を試みているが（図5-7）、そもそもレオナルドがどの程度までこの壁画を描き進めていたかは不明である。

先の日記によると用意しておいたカルトンが暴風雨のために損なわれたというが、ここでレオナルドはカルトンを「イル・カルトーネ il cartone」と単数形で記している。大画面全体を一枚の紙に構成した下絵、つまり完成された全体的イメージをレオナルドが用意していたとは考えられない。そもそも《東方三博士の礼拝》であれ《最後の晩餐》であれ、レオナルドが全体構図をあらかじめ決定してから板絵や壁画の彩色に入った例がないことから、この《アンギアーリの戦い》の場合も、とりあえず「軍旗争奪」部分のカルトンができたところで壁画の彩色を始め、あとはまたあれこれ思案しながら漸次描き進めて行くつもりだったのだろう。つまり、当時はまだ全体構図は煮詰まっていなかったはずであって、現存するスケッチ類をもとにレオナルドの全体構図案を推測するのは不可能と思われる。ただし、山川草木が広がるアンギアーリの地を背景に、「軍旗争奪」を中心として、騎馬や歩兵たちが熾烈な戦闘を展開する光景が壁面を埋めるというのが基本的な枠組みだったことは想像に難くない。

残された素描や模写画を見ても分かるように、レオナルドの描く騎馬戦の様子は、それまで誰も描いたことのないほど迫力に満ちたものである。レオナルド自身、馬は最も高貴で美しいと語っているほどこの動物が好きで、若い頃からおびただしい数の馬の素描やスケッチを残している。単に絵画作品や騎馬像などの仕事のためだけではなく、馬体の姿とその優れた機能に魅せられていたのである。対象物に対する関心と愛情の深さ、そしてその観察眼と素描力によって、レオナルドは西洋美術史上、馬の表現をもはや完成させてしまったといっても過言ではない。ラファエロなどののちのルネサンス画家はもとより、ルーベンスをはじめとするバロックの画家たちの描く馬は、どれもその表現の基本をレオナルドに負っているのである。それゆえに、壁画が未完成に終わったことは、当時のフィレンツェ市民はもちろんのこと、現代人にとってもじつに残念なことである。

二　《ジョコンダ（モナ・リザ）》と晩年のレオナルド

レオナルドの生涯を映す鏡

フィレンツェに戻ったレオナルドは間もなく齢五〇を迎えたが、それまでになんらかのプロジェクトをまともに完成させたことがなかった。《岩窟の聖母》（ルーヴル美術館）を完成させ、《最後の晩餐》で確固たる名声を得たものの、絵画以外の分野では、実際に構想を具体化し、建設や製造をして後世に残したと思われるものは実のところ皆無に等しい。つぎつぎと公共性の高い事業に参画しては、いずれも未完成に終わらせたか、もしくは中断した。それでいてつねに彼は為政者たちに重用されていたようである。いったいレオナルドとは何者だったのだろうか。いまさらながらの問いではあるが、やはりそれがレオナルドという人物に秘められた最大の謎であり、また魅力でもある。

たしかに、強すぎる好奇心ゆえにあらゆることに手を染め、多才が仇（あだ）となってなにものをも成就させることができなかったかに見える。だが、レオナルドの気の遠くなるような回り道は、晩年にいたってようやく一枚の絵に帰結することになった。それが《ジョコンダ》すなわち《モナ・リザ》である。もっとも、際限のない知性が凝縮されたこの絵は、まさにレオナルド自身がそうであるように、解くことのできない謎に満ち満ちているのである。

制作の経緯から謎だらけの名作

《モナ・リザ》（図5－8）が着手された年代については不明である。早ければ《アンギアーリの戦い》が委嘱された一五〇三年頃に着手されたものと推測されている。一五〇四年に当

図5-8《モナ・リザ（ジョコンダ）》

時二一歳のラファエロがフィレンツェに移住し、四年間ほどここに滞在した。その間にラファエロは、レオナルドと親しく接し、直接絵画の手ほどきを受けている。ラファエロは《アンギアーリの戦い》のためにレオナルドが残したスケッチ類を模写している。壁面にすでに彩色された部分「軍旗争奪」ではなく、レオナルドの習作素描を模写していることは、ラファエロがレオナルドの工房に出入りし、レオナルドの仕事を直に目にしていたことを意味する。しかも制作途上にあった作品のための未公表段階のアイディア・スケッチ、すなわち構想を描きとめたいわば内部資料を見ることが許されていた。レオナルドはラファエロに対して弟子同様に親しく接し、自身の絵画理論や技術を分け与えたわけである。

そのラファエロは、フィレンツェ滞在中に何点かの肖像画を描いているが、そのなかで《マッダレーナ・ドーニ》(図5-9)と《一角獣を抱く婦人》が《モナ・リザ》の構図を踏襲していることはよく知られるところである。また、後者の習作素描が現存するが、これなどは《モナ・リザ》の模写といってよいほど構図が似ている(図5-10)。このことは、ラファエロがレオナルドの工房を訪れ、制作中の《モナ・リザ》を見たことを意味すると同時に、その頃すでに《モナ・リザ》はほぼ現在の構図を示す段階にまで描き進められていたことをも意味する。したがって《モナ・リザ》の制作年代については、厳密にその上限と下限を定めることは不可能だが、一五〇三年頃に着手され、ラファエロがフィレンツェに滞在していた一五〇四年から一五〇八年までの間にかなり完成に近づいていたと思われる。

ところが、なぜかレオナルドはこの肖像画をあと一歩のところまで描き進めながら、最終的には完成させず、やがてフランソワ一世の招きでフランスに赴き、一五一九年にアンボワーズの地で没するまで、ずっと手もとに置いたのである。《モナ・リザ》の右手の指の明暗法による立体描写が左手に比べて弱いことなどから、結局この作品は未完成の状態にあることが指摘されている。そしてヴァザーリも、レオナルドは「この仕事に苦心惨憺(さんたん)の四年を費

図5-9　ラファエロ《マッダレーナ・ドーニ》

図5-10　ラファエロ《一角獣を抱く婦人》と習作

やしたが、なお未完成だった」と述べている。
ルイジ・ダラゴーナ枢機卿が一五一七年一〇月一〇日にアンボワーズを訪れ、当時クルー館に住んでいたレオナルドに会っている。その様子を枢機卿の秘書官アントニオ・デ・ベアティスが記録しているが、それによるとすでに六五歳になっていたレオナルドは、ずいぶん年老いた様子で、片方の手が不自由だった。これについてはおそらく軽い脳卒中の後遺症だろうと推測されているが、はたして利き手の左手だったのかどうかは定かではない。そしてデ・ベアティスの証言によれば、彼の手もとには今日ルーヴル美術館に収蔵される《洗礼者聖ヨハネ》と《聖アンナと聖母子》、そして《モナ・リザ》があったという。ところで、デ・ベアティスはこの肖像画を「故ヌムール公ジュリアーノ・デ・メディチの委嘱による、実物から描かれたフィレンツェの貴婦人の肖像」と記しているが、この記録こそ《モナ・リザ》のモデル問題に関して厄介な議論を巻き起こすことになった原因の一つとなっている。

ただし、本書では《モナ・リザ》のモデル問題については問わないことにする。というのも、これに関しては諸説あるものの、現在確認されている史料や記録からは、結局彼女の素性を特定することは不可能だからである。一応かいつまんで諸説をまとめると以下のようになる。

言及者・仮説提唱者	モデル	備考
G・ヴァザーリ（一五五〇）	デル・ジョコンドの妻	フィレンツェの商人の妻「リザ」を指す。
A・デ・ベアティス（一五一七）	フィレンツェの貴婦人	ジュリアーノ・デ・メディチの愛人。
G・P・ロマッツォ（一五八四）	ジョコンダとリザ夫人	二点の肖像画があったかのような記述。
G・P・ロマッツォ（一五九〇）	ナポリの人リザ夫人	たしかにリザはナポリ系の一族の娘。
C・ダル・ポッツォ（一六二五）	ジョコンダとかいう人物	当時「ジョコンダ」と通称される作品がフランス王室にあったか。
フランス王室財産目録（一六四二）	ヴェールをまとう宮廷婦人	宮廷婦人は高級娼婦をも意味する。「ジョコンダ」や「リザ」と呼ばれていない。
A・ヴェントゥーリ（美術史家）	コスタンツァ・ダヴァロス	イスキア島（ナポリ領）公妃。ジュリアーノ・デ・メディチの愛人。

C・ペドレッティ（美術史家）	イザベッラ・ダラゴーナ	ミラノ公妃。「イザベッラ」の縮小名は「リザ」。
田中英道（美術史家）	イザベッラ・デステ	マントヴァ侯妃。レオナルドが肖像素描を残す。

このようにモデルに関してはじつに興味深い記録や仮説があるが、現在のところ、ヴァザーリの記述に従って、フランチェスコ・デル・ジョコンドの妻リザであるというのが通説となっている。そして日本やアメリカでは「モナ・リザ Mona Lisa」と称するが、イタリアでは夫の姓である「ジョコンド Giocondo」をとり、その妻ということでこれを女性形にして「ラ・ジョコンダ La Gioconda」と称している。所蔵主であるルーヴル美術館では、これに準じてそのフランス語形「ラ・ジョコンド La Joconde」の題名で収蔵されている。ちなみに「モナ Mona」はイタリア語の「モンナ Monna」の誤表記で、正しい語の「モンナ」は「夫人」を意味するが、誤表記の「モナ」はトスカーナ地方の俗語で女性器を意味するため、イタリアでは決してこの通称が用いられることはない。

生きているかのような人物像

では、モデル問題は保留し、むしろレオナルドがこの作品によってなにを表現しようとしたのかについて考えてみたい。なお、ここでは暫定的にこれまでの通説とイタリアの慣習に従い、以下この作品を《ジョコンダ》とし、モデルをリザと称する。

まず人物表現について見てみるが、しばしばこの女性像については「永遠の美女」と言われたり、あるいはその表情に関して「永遠の微笑」と言われたりするが、はたして美女だろうか。むしろ彼女を包み込む深い陰、柔らかい肌の質感、そして不可解な微笑は、観る者に無気味な印象を与えるはずである。そしてその理由は、やはりこの人物像のリアリティーにある。じつはヴァザーリもこの作品については、「美術がどれほどまでに自然の真実を模倣することができるかを知りたければ」この作品を見ればよいと言い、彼女の眼は「まるで生きているような輝きと潤いをもち」、「まるで生身の人間を眺めているような思い」がし、「まさに生きた皮膚」をもち、「生きた人間の姿そのもの」であると評している。

実のところ《ジョコンダ》は、すでに一五一七年にはレオナルドとともにフランスに渡ってしまっていたため、一五一一年生まれのヴァザーリがこの作品を見たはずはない。ただしヴァザーリは口から出任せを言っているわけではなく、おそらく《ジョコンダ》を見た者たちによる評価がフィレンツェを中心に定着しており、ヴァザーリはいわば当時すでに伝説化していた噂をよく聞き知っていたということだろう。したがってヴァザーリによる《ジョコンダ》評は、史実か否かという点では信頼性に欠けるとはいえ、一つの社会的証言として重要な価値をもっているのである。《ジョコンダ》がまるで生きているような肖像画であることは、作品を見れば一目瞭然であり、そのことがこれを見た人々に驚きを与え、奇跡のなせるわざとして語り継がれたのだろう。

鏡像のごとき肖像画

レオナルドは『絵画論』の中で、しばしば「鏡を師とせよ」とか「鏡のような絵画こそ優れている」と述べている。たしかに鏡は、その前に立つ者の姿をそのまま映し出す。通常われわれは自分の顔かたちがそのまま鏡に映っていることに慣れてしまっており、鏡像の性質について改めて考えることはなく、証明写真と同程度の認識で、自己同一性確認の道具として用いている。だが、鏡像と写真の画像は本質的に相異なるものである。それはすなわち単眼視と複眼視の相違である。

絵画における自然主義や写実主義とは、目の錯覚を利用して、あたかも本物がそこにあるかのような印象を観者に与える効果、すなわち「イリュージョニズム」による高度な描写性を意味する。ブルネッレスキがその基本システムとしての透視図法を開発し、以後の画家たちはその研究を発展させたが、その際、カメラ・オブスクーラと呼ばれる投影器具が、透視図法の原理にのっとって対象物を正確に描き写す道具として開発され、それがついには一九世紀にいたって写真術の発明につながっていくのである。

したがって写実的な絵画とは、すなわち写真のような絵であると考えがちである。だが、たしかに写真の画像は被写体の形と明度・彩度を忠実に射影したものとはいえ、あくまで一つのレンズを通して定着された平面画像である。そのような画像が本物のように見えること、言い換えれば立体的に見えるのはまさに目の錯覚でしかない。

それに対し鏡像は、複眼視による立体映像である。われわれは両眼視差によって対象物の立体感を知覚しているが、鏡像にはこの両眼視差が反映しており、したがって鏡像が立体的に見えるのは、単に錯覚とは言い難い。むしろ視覚的には鏡像はまさに実物そのものなのであり、触れれば鏡面上の映像にすぎないことが明らかになってしまうが、そうでないかぎり、鏡像とわれわれの視覚像は区別できないほど性質の似たものなのである。レオナルドが「絵画は鏡のようであるべき」だというのは、単に高度な描写性に対する比喩的表現でもなければ、今日の写真のようなものについて言っているのでもなく、まさしく鏡像のような立体像を想定して言っているのである。実際レオナルドは、複眼視について観察メモを残しており、両眼視差の問題に気付いていたらしいことが分かっている。

つい二〇世紀初頭まで、われわれ人間は透視図法的な手がかりによって対象物の立体感や空間感を知覚していると考えられていた。だが視覚心理学や認知科学といった分野による研究の結果、われわれは透視図法的な手がかりによる分析的な方法によるよりも、むしろ両眼視差によって立体感・空間感をいわば実感しているのだということが明らかになってきた。レオナルドはすでにそれに気付き、そのような人間の視覚のメカニズムをなんとか絵画に導入しようとした。そしてそのために独特の絵画表現法を考案するのである。

スフマート（ぼかし）技法の意味

スフマート技法は日本語では「ぼかし技法」などと称され、レオナルド独自の技法として知られている。それが対象物の立体感を表現するために輪郭線をぼかす技法だということは周知のことである。だが、この技法が複眼視や両眼視差を反映したものだということは、おそらく後世の画家たちにはあまり理解されなかったものと思われる。むしろ今日の写真の技法でいう「ソフトフォーカス」のような、甘美なムードを演出するための装飾的画像処理として利用される場合が多く、一八、一九世紀のパステル画などではその傾向が強い。

だがスフマートはそのような情緒的な目的で開発されたものではなく、レオナルドの科学的な考察から導き出された立体記述の方法なのである。そもそも三次元形態、とくに球、円筒、円錐など、曲面で構成された形態の場合、われわれの目から見てその形態の際（きわ）とその外側すなわち空間との境目には、筆で描いたような輪郭線は生じない。形態の表面のうち、われわれに対して直角の関係にある部位、すなわち視線と平行の関係にある面であっても、それはあくまで一定の面積を有する面であって、線分ではない。レオナルドはそのことに気付いていたため、対象物を描く際に、筆による下描きの輪郭線が認識されないように処理したのである。

また、われわれが複眼視によって対象物を見る場合、曲面の手前の部分に焦点を合わせると、外縁部の輪郭はぼやけて見え、かつダブって見える。これは角膜レンズによる焦点調整と両眼視差によって生じる現象である。したがって普段われわれは、焦点の合っている一点以外はすべてぼやけてダブって見える視覚世界に住んでいるわけである。もっとも、あえてそのことを意識しないかぎり、日常生活において、対象物の輪郭がぼやけたりダブって見えていることをいちいち自覚することはなく、むしろわれわれは形態を明確に捉えているものと思い込んでいる。われわれの脳がそう認識するように習慣づけられているからである。

このことからしても、スフマート技法をそれと分かるように用いて、まるでソフトフォーカスのような画像を描くことは、われわれの視覚的な真実を絵画化したことにはならない。

図5-11　《モナ・リザ》部分

スフマートはあくまでそれと分からない程度に控えめに用いられるべきである。レオナルドはその節度をよく心得ていたにちがいない。事実、《ジョコンダ》を見てみれば分かるが、人物像の輪郭は、形態が曖昧になるほどぼかしてあるようには見えない。かなり近寄って観察すれば、なるほど微妙にぼかしてあることが分かるが（図5―11）、少し離れた距離から眺めるかぎり、そのようには感じられない。スフマートという技法は、それほど微視的なレベルで適用されているのであり、レオナルドの真意を理解せずにスフマートを濫用すれば、単にぼけた人物像になってしまうのである。

三　絵画による世界の完全な視覚化を目指して

透視図法の限界の克服

レオナルドは画家としての活動のごく初期から透視図法に強い関心を示し、アルベルティの絵画論すなわち一点透視図法から出発して、最終的には人間の視覚像を完璧に再現できるような透視図法の開発が可能ではないかという期待を抱きながら研究を重ねた。その様子は彼の手稿や図によってうかがえる。透視図法に従えば、人間、動物、静物など、この世界に別々に存在する多様な物体を、数学的な原則によって、いわば通分して一つの空間内に記述することができる。それはあらゆる存在物を統一的に記述することのできる言語である。そのことを悟ったレオナルドは、おそらく透視図法によってこそ、世界の真理を見極めることができるのだという興奮を覚えたにちがいない。

そしてレオナルドは、研究と努力によって完璧な透視図法、すなわち彼が言うところの

「自然な透視図法 Prospettiva naturale」を確立することができるのではないかと期待した。だがすでに触れたように、透視図法には限界がある。それは、この図法があくまで単眼視を前提にしたものであること、そして消点（消失点）すなわち画家の視点が一点に固定されていること、さらに本来は網膜上に投影された曲面画像が絵画面という平面上に構成されることによる誤差などである。したがって視覚像の忠実な再現を可能にするためには図学的な範疇だけでの研究では不十分であり、そもそも人間の目がどのように対象物を知覚しているのか、さらには人間の脳がどのようにして視覚像を形成しているのかを探求しなくてはならなかった。

レオナルドは、眼球の解剖を通して角膜レンズの存在を確認すると、この凸レンズを透過した光が網膜に投影されて、そこに「倒置像」が結ばれることに気付いた。ところが普段われわれは上下逆さまの世界を見ているわけではない。そこでレオナルドは悩み、なぜこのような矛盾が生じるのか考えた。そして最終的には、脳が倒置像を修整しているらしいことに気付き、脳の解剖まで行ったのである（図5-12）。もとより、当時の科学的水準の限界により、彼がそれを解明することは不可能だった。この時点で彼の研究は挫折したのである。もっとも、人間の視覚像を忠実に再現する画像システムは現在でも確立されていない。

そこでレオナルドは、透視図法に依存する絵画表現から脱し、空気遠近法、色彩遠近法、そしてスフマートといった手法を発展させることになった。この大きな飛躍は《最後の晩餐》と《ジョコンダ》の間に顕著に見られる。《最後の晩餐》では、いまだ透視図法を最大限に用い、色彩は鮮やかで、スフマートのような微妙な表現はあまり見られない。それに対して《ジョコンダ》は、小品であるにもかかわらず、レオナルドが研究開発した手法がそこに凝縮されているのである。

しかし、たとえそうした手法を複合的に適用したとしても、絵画に描かれた画像は、やはり鏡像とは異なり、しょせんは単眼視による静止画像でしかありえない。「絵画の師たる鏡」というのはあくまで仮想的・理想的な概念にすぎず、絵画は結局ある種の妥協策でしかない。しばしばレオナルドが解剖学その他の研究に没頭し、まるで絵画制作を放棄した

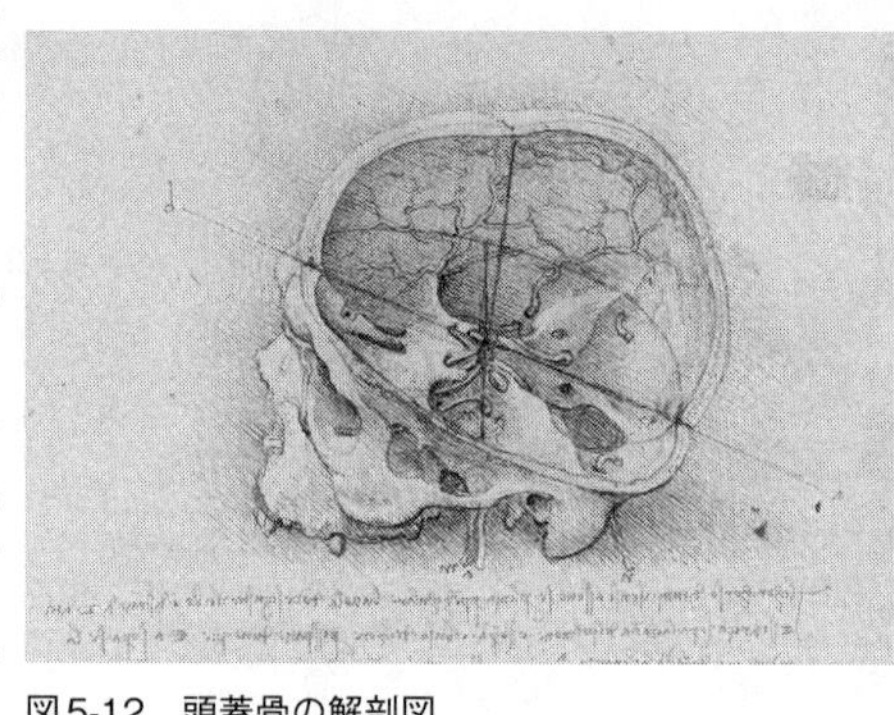

図5-12　頭蓋骨の解剖図

かのように見えるのは、どこかにこうした絶望感があったからではないだろうか。とはいえ、たとえ妥協策ではあっても、やはり絵画という方法はレオナルドにとって、他のいかなる学問分野にも増して、世界を最も忠実に記述できる科学的方法だったのである。

人間と自然の再創造

レオナルドが絵画に求めたものは、ただ似姿を描くことや、美的鑑賞を目的とすることではなく、三次元形態および三次元空間を記述するための完成された画像システムであった。したがって《ジョコンダ》が単に美女を描いた肖像画でないことは当然の結果である。それは美しい女性を描いた絵でもなければ、美しい絵でもない。やはりヴァザーリの伝えるように、まさしく生きているような絵なのである。言い換えれば《ジョコンダ》は3D画像であり、複眼視までも考慮に入れた視覚的なシミュレーションなのである。それは現在のバーチャル・リアリティーやCG画像に近い。

イギリスのウィンザー王室図書館には約二〇〇点におよぶレオナルドの解剖図が保存されているが、それらのなかには人体の上半身を順次回転させて描いた素描がある（図5-13）。人体を三次元的にとらえようという発想から生まれた、当時としては最も画期的な画法である。また、レオナルドは女性の内臓を図示しているが（図5-14）、これなども、実際に人体の腹部を切開したところで、このような状態で内臓や諸器官が観察できるわけではない。内臓は血液や脂肪などにまみれており、しかも柔らかいため、一見したところではその形態はつかみどころがない。しかしこの素描では、臓器は原形をしっかりとどめ、整然と配置されており、管状の諸器官は直線的に描かれている。したがってこの解剖図は概念的に再構成されたものなのである。また、乳房が描かれているが、そこには内臓を示す描線が重なってい

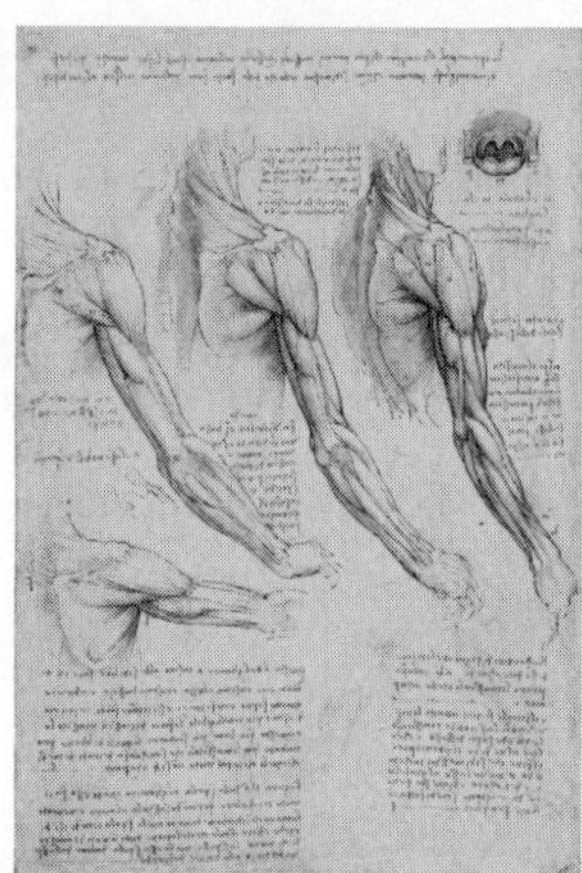
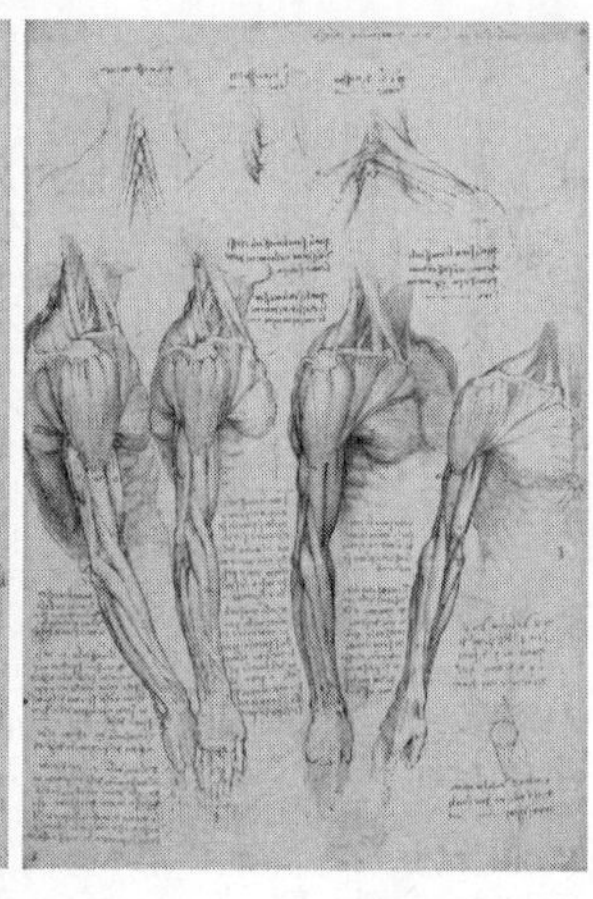

図5-13　人体解剖図

る。つまり乳房の奥（下）にある内臓が透けて見えているのだが、これはまさに現代のテクニカル・イラストレーションやCG画像でよく用いられる手法である。

さらにレオナルドは子宮に宿る胎児のスケッチも残しているが（図5-15）、最近の研究により、ここに描かれた子宮は人間のものではなく、牛の子宮であることが明らかになっている。ということは、レオナルドは人間の胎児と牛の子宮を合成して、子宮内の胎児の様子をイメージ化してみせているのである。人体上半身の図にしても、女性の内臓の図にしても、そしてこの胎児の図にしても、今日ならばすべてCG画像によってつくられる類のものである。

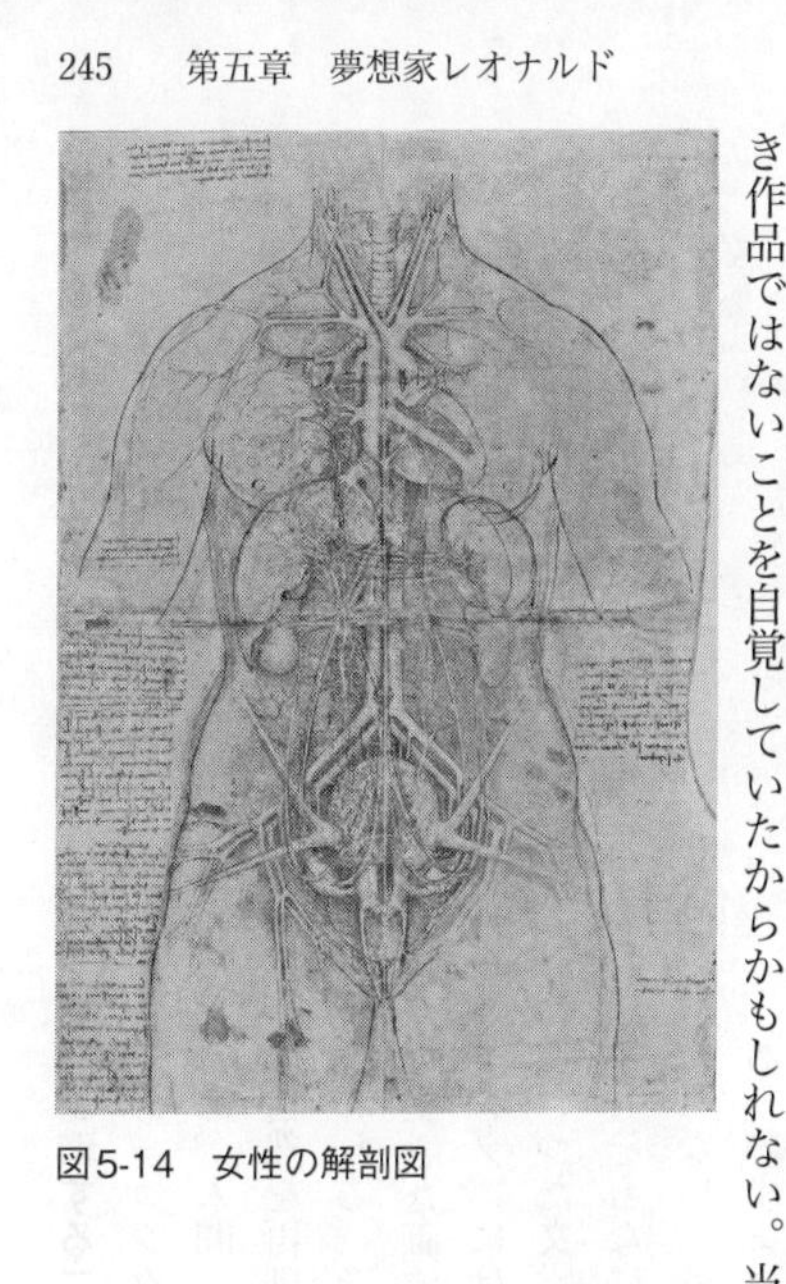
図5-14　女性の解剖図

《ジョコンダ》にいたっては、レオナルドはもはや単なる仮想的な画像をつくろうとしたのではなく、実像をつくろうとしたのである。ここに描かれた女性像はリザの似姿などではなく、再創造されたもう一人のリザであり、再構成された人体なのである。したがってこれは、人間を解剖してまた元に戻したような人物像であり、フランケンシュタインやクローン人間という発想に通じるものであって、当時としてはまさしく神をも畏れぬ行為にほかならない。レオナルドが《ジョコンダ》を死ぬまで手もとに置いたのは、あまり人目にさらすべき作品ではないことを自覚していたからかもしれない。当時の宗教家ならばそれほどの背徳性をこの絵に認めたことだろう。

この作品にともなうある種の不気味さは、それを単なる絵画として安心して見ることができないことからくるもので、ひょっとして生きているのかもしれないという、ぞっとするような感覚からくるものなのである。

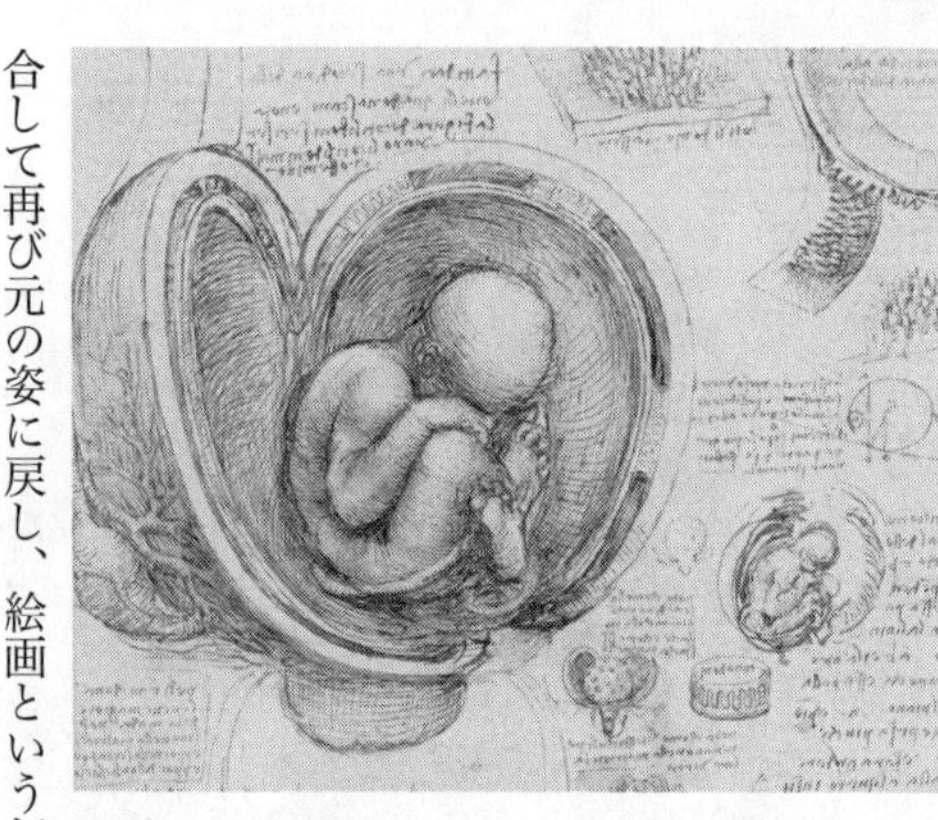

図5-15　胎児のスケッチ

循環する二つの世界=自然と絵画

《ジョコンダ》の背景に広がる深遠な自然の風景は、人間を含めたこの世界のすべて、すなわち自然を再創造しようという試みであるように思われる。そしてここに、芸術と科学のはざまを生きた画家レオナルドの特質がある。《ジョコンダ》には宗教的主題はもとより、神話や詩といった文学的な主題はいっさい見られない。そもそもなにかを表現しようという意図が読み取れない。そこにはただひたすら人間と自然がありのままに、生きているままに提示されているのだ。レオナルドは人間と自然を観察し、記述し、分析し、そして最終的にはその成果を総合して再び元の姿に戻し、絵画という仮想空間のなかに置き直している。

科学者は自然現象を記述し、分析することによって、なにがしかの法則を明らかにし、それを言語化・数理化し、理論体系を構築しようとする。ところがレオナルドの残したおびただしい手稿を見ても、そこにはひたすら観察と考察の過程が記録されているばかりであり、彼はそれらを一つの理論体系にまとめ上げることをしていない。そもそも自然を正確に記録することこそが目的だったかのようである。当時は科学者といっても、自然に関する古代の書物を読み解くのが先決で、直接自然を観察してその真実の姿を理解しようとする者はまだ数少なかった。レオナルドとしては、まず自然の観察と記録をすること、それも文字のみではなく視覚的な記録を残すことが必要だったのである。しかし彼は、その研究成果を理論として提示するのではなく、あくまで絵画というかたちに還元しようとするのであった。つまりこの世界や自然は、イメージとしていったんレオナルドの手と頭脳を通り、再びイメージとして自然に帰るだけであり、したがって結局、彼の絵画作品はなにも語らないのである。現実はレオナルドの内部を通って、また現実に立ち返るのである。

その意味でレオナルドは科学者ではなく、やはり画家だった。レオナルド自身、「無学の人」と自称し、文字によって自らを語ろうとしない。そして彼の描く絵もなにも語ろうとしない。絵画作品は自然から始まり、自然に帰ることで完成する。レオナルドの描く絵画は自然の等価物であり、自己完結である。そこには、永久機関、円運動、循環器系などのスケッチに没頭するレオナルドの姿が重なって見えてくる。およそ一人の人間が一生になしうるとは思えないほどの研究をし、膨大な手稿を残したにもかかわらず、レオナルドが近代科学の発展に直接的な影響を与えなかったのは、そのような理由からである。レオナルドは、膨大なデータから体系的な理論を打ち立てる以前の世代に生きていた科学者だったと言ってもよいだろう。

記録魔レオナルド

レオナルドは膨大な手記を残し、異常なほどにありとあらゆることを記録しているが、これは特異な性癖ではなく、ルネサンス期のとりわけ商人たちに共通する生活習慣だった。記録マニアというかメモ魔というか、とにかく自分の事業や家計、日々の生活や人間関係など、身の回りの出来事について几帳面に記録しておくことこそ、ルネサンスという新しい世界、目まぐるしく変動する高度な都市社会において、商人たちが利益を得るための戦略であり、生き抜いていくための自衛手段でもあった。

一三〇〇年代初頭からイタリアで製紙が始まると、このニューメディアは産業や文化に爆発的な変化をもたらした。契約書や為替による信用経済、十進法の導入と筆算法による計算のスピード化、製図・デザイン・デッサンといったシミュレーションによる手工業製品や美術品の質的向上と製作工程の組織化・効率化、そしていうまでもなく印刷・出版業の急速な発展等々である。

要するにルネサンスというのは、新しい情報メディアが産業の要としてきわめて重要な意味をもちはじめた時代であり、それを巧みに利用するのがほかならぬ商人たちだったのである。法律をはじめとして社会の仕組みが高度化・複雑化し、将来予測も難しくなっていくのは必至だし、そうなれば弁護士や会計士、経営コンサルタントといった法律や実務を専門とする職業が重要な意味をもつようになる。当時そうした職業に従事していたのが公証人、すなわちレオナルドの曽祖父や父のような者たちだった。このように見てくると明らかなように、レオナルドはまさにルネサンスの新しい商人や企業家もしくは起業家の資質をもった人間だったのである。

イメージ・クリエーターとしてのレオナルド

ヴァザーリはレオナルドのことを、「絵筆によるよりもむしろ言葉によって仕事をした」人物であるといい、また弁舌に優れ、彼が自らの構想を説くと皆それに納得し、だがあとになってよく考えると彼の構想がまったく実現不可能な絵空事であることに皆が気付く、といった意味深長な批評をしている。それではまるでペテン師だが、ある意味でレオナルドの一面を最もよく言い当てた見解である。もとより悪意があればそれは詐欺師にほかならないが、たしかにかなり山師的な匂いは漂っている。事実、結果的にしばしば契約不履行を繰り返し、ときには訴訟沙汰にもなりながら、それでいて経費や報酬などは全額ではないにせよ受け取っており、不思議にうまく世の中を渡っているのである。

こうなると、レオナルドが万能の天才として種々の分野において第一線で活躍したという神話については、やはり疑ってみる必要がある。むしろ彼は、建築、土木、軍事の各分野のエキスパートとして活動したというよりも、その共通項で起草家、アイディア・プランナー兼ビジュアライザー、およびアドバイザーとして活動したのではないだろうか。多方面にわたる彼の知識と柔軟な発想、そしてとりわけ素描力・製図力が、プロジェクトを推進する際に威力を発揮したのである。当時の技師や建築家にはまだあまり図面やスケッチを描いて構想を練り上げる習慣がなく、いわば伝承された技と経験で仕事をしてきた。しかしルネサンスは新しい価値観をもった人間たちが新しい社会のシステムを築こうとした時代である。旧来の方式が適用できない事例を為政者や依頼主に説明して納得を得る際に、構想のイメージ化は最も説得力ある方法である。

ルネサンス時代になってとくに絵画・建築・彫刻の三分野で「素描」という共通の基本作業が重視されるようになったことと、美術家たちがさまざまな道具や機械類の製造面をも担うようになったことは、偶然の一致ではない。製造技術に関しては伝統的な技をもった職人に任せればよいが、新しいメカニズムやデザインを実現するにはやはり斬新な発想とそれをイメージ化する能力が求められる。レオナルドはそうしたニーズに応えた新しいタイプの職人芸術家たちの一人だったのである。

素描家レオナルド

現存するレオナルドの素描やスケッチ類は、断片的なものを含めると約九〇〇点にのぼる。生前の彼はそれを上回る数の素描をものしたはずであり、さらには二万頁に達する手稿類を残したと推測されている。それらの手稿類におびただしい数のスケッチや図が描き込まれており、それらを素描に準ずるものと考えると、西洋美術史上、レオナルドほど多くの素描を残した画家はほかに例がない。言い換えればこれほど大量の紙を使用した芸術家はいなかった。レオナルドは『絵画論』の中で「絵画は学（科学＝scienza）である」と言うが、むしろここで「絵画」を「素描」と言い換えてもよかっただろう。そしてレオナルドは、絵画が最も優れた芸術であり学であると言う。これも言い換えれば、絵画はあらゆるものを再現・表現できる理想的な手段だということである。たしかにレオナルドは絵画、それも素描によってあらゆることを表現しえている。しかもあえて完成されたタブローにする必要はないほどに、彼は素描によってすべてを語ることができたのである。素描の段階ですべてが完結していると言ってもよい。

彼の素描はあまりにうますぎる。それらはしばしば習作としてではなく、見せるための素描になっている。タブローとは関係のない、素描それ自体を見せるための素描である。そしてレオナルドは素描のための技法や画材の開発にも熱中した。そもそも彼がミラノ宮廷入りを狙っていた際にも、タブローではなく、素描をプレゼンテーションに用いていた事実は、単にタブローを制作した実績がないとか、タブローを持参するわけにはいかないといった事情によるものではなく、レオナルドが本質的に素描家だったという実態をよく示している。

ここでさらに、レオナルドの素描がほとんど細密描写ともいうべき小さな画像である点に注意すべきである。《最後の晩餐》のような大画面のための習作素描でさえもそうである。当時は紙も高価なもので、紙面を節約して大切に使う必要があったのだろうが、それにしても細部まで入念に描き込まれた素描は、まるでそれ自体が一枚の独立したミニアチュールのようである。

だがレオナルドの時代、一般の認識では素描はまだまだ下絵でしかなかった。美術品としての絵画を求める注文主やパトロンの間で、レオナルドは下絵やスケッチを描いてばかりで、いっこうに絵画制作に移ろうとしない風変わりな画家だという誤解が生じたのも無理はない。だがその一方で彼は、素描家・製図家としてたしかに多方面で活躍したのである。紙と筆記用具さえあれば、あらゆる芸術・科学の分野のイメージ・シミュレーションが可能である。おそらくレオナルドほど紙という新素材と素描の利点を理解し、それを活用した画家は当時ほかにいなかっただろう。

たとえ作品が実現されずとも、その神髄が素描などを通して後世の画家たちに継承されたところに、レオナルドという希有(けう)な画家の本質的意義がある。レオナルドの素描は、ラファエロがそれらを盛んに模写し、そこから多くを学んでいることからも明らかなように、早くから画家たちの手本として注目されていた。それと並行して美術愛好家たちも彼の素描やスケッチに関心を示すようになる。それに実のところ彼の素描や種々の図は、すでに一五世紀からほかの画家によって描き写され、版画化されて普及しはじめていた。要するにレオナルドは、素描家・製図家として、完成された作品とは別の文脈で、彼の存命中から確たる定評を得ていたのである。

永遠に問い続ける未完成の画家

それにしても、やむことなく蓄積し増加する膨大な記録と素描は本人ですら手に負えなくなり、それらを整理・分類することもままならなかったようである。レオナルドは科学的研究にしても絵画論にしても、いずれそれらを編纂して出版するつもりでいた。だが、そのためには膨大な手稿を読み返さなければならず、とてもその時間は彼にはなかった。レオナルドは弟子メルツィにそう漏らしている。出版には繰り返し推敲（すいこう）や校正を行うなど、地味で忍耐強い作業が伴う。レオナルドにはそうした忍耐力が欠けていたのも確かである。

ひたすら知的好奇心の赴くままに前進し続けるレオナルドには、後ろを振り返る余裕がなかった。平均余命四〇歳未満であった当時、レオナルド自身短い生涯でどれだけのことをなすことができるか、常に不安を抱いていたにちがいない。それに素描はレオナルドの孤独な性格に適（かな）いすぎている。しばしば素描は逃避の場にもなっていたはずである。素描シンドロームとでも言おうか。

「レオナルドよ、いったいお前はなにをなしたというのか」

晩年のレオナルドは自分の人生を振り返り、こう述懐している。単なる下描きだった素描をレオナルドはタブローに劣らぬ芸術にまで高めたが、それは彼の場合、素描が自己完結することであり、もはやタブローが不要になるということでもあった。職業画家として生計を立てるにはあまり好ましくない状況である。やがてミケランジェロの世代になると、素描それ自体が美術愛好家たちの間で盛んに収集されるようになるが、それでも素描は素描にすぎず、画家たちはあくまで最終的にはタブロー制作を目標とした。だが、レオナルドには素描で満足してしまうところがあった。

彼は並外れた夢想家・空想家であった。したがって目に見えないもの、あるいはいまだ形になっていないアイディアを視覚化する際に、素描は最適の手段だった。今日でも、建築設計ソフト、3D画像ソフト、グラフィックソフト、画像編集ソフト等、すべての機能を兼ね備えたソフトウェアがあれば、どんなものでも視覚化できるにちがいないという期待を誰しもがもつことだろう。レオナルドにとってはまさに素描こそが最強のツールだったわけである。

その彼が最も実現を望んだもの。それは空を飛ぶことである。ミケランジェロは飛翔する人物を描いたが、レオナルドは絵画のなかで天使にすら空を飛ばせることはなかった。鳥の

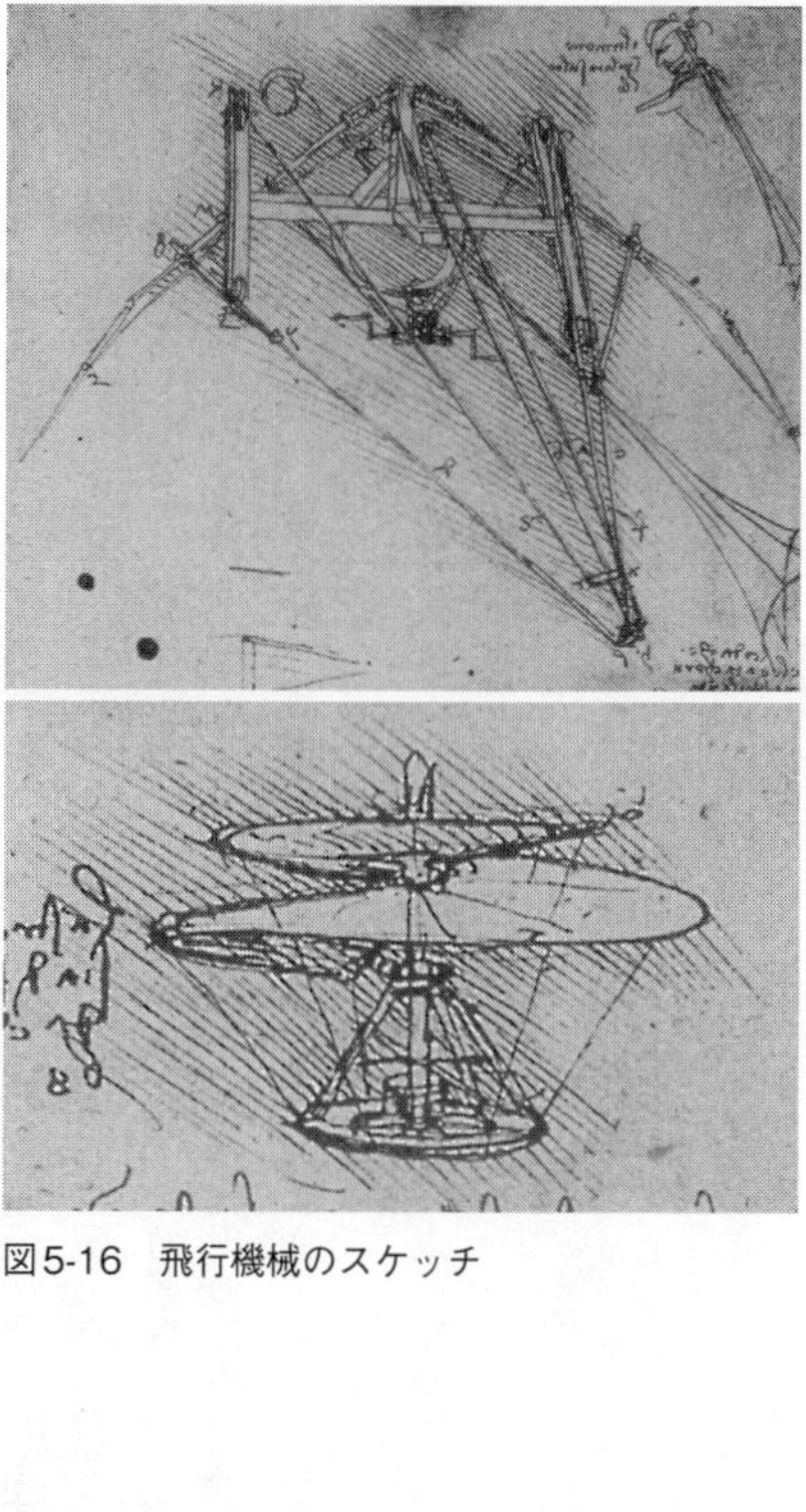

図5-16　飛行機械のスケッチ

翼に似せたつくりものを背中にくっつけたような姿で人間が浮揚することなどありえないことを、レオナルドは物理学的な観点からよく知っていたからである。その意味で、ミケランジェロが絵画に求めたのが主観的な表現だったのに対し、レオナルドは表現ではなく、厳密な再現を求めた。彼の描く絵や素描は、ある意味でハードSFの世界なのである。

その代わり、彼は現実の空を飛ぼうとした（図5-16）。夢想家の彼も、その点ではリアリストだった。それは人生哲学や処世術に倣って危なげなく階段を登ろうとする者という意味でのリアリストではなく、自然世界の本質を見極めるために現実を直視する者としてのリアリストである。そしてまた、夢を現実化しようとする者という意味でのリアリストである。たしかに、結局のところ実現できたものはわずかで、ただ実現のための構想が膨大な素描として残された。しかし、彼自身は実現を確信して研究し続けた。そしてそれ以上に空想や想像は膨らみ続けていったのである。

レオナルドは、孤独な幼少期から孤独な死を迎えるまで、永遠に夢想し、問い、素描し続けて、創造力と想像力のユートピアに生きたのであった。

参考文献

本書の執筆にあたって主に参照した文献・先行研究。

＊レオナルドに関する歴史的資料に関して

Giorgio Vasari, *Le Vite de' più Eccellenti Pittori Scultori ed Architettori, con nuove annotazioni e commenti di Gaetano Milanesi,* Firenze, G. C. Sansoni, 1906.

Edmondo Solmi, *Le Fonti dei Manoscritti di Leonardo da Vinci,* Torino, 1908.

Trattato della Pittura di Leonardo da Vinci, condotto sul Codice Vaticano Urbinate 1270, pref. di Angelo Borzelli, Lanciano, Carabba Editore, 1914.

Luca Beltrami, *Documenti e Memorie Riguardanti La Vita e Le Opere di Leonardo da Vinci in Ordine Cronologico,* Milano, Fratelli Treves Editori, 1919.

Leonardo da Vinci, *Tratado de Estatica y Mechanica en Italiano,* Mss.8937. レオナルド・ダ・ヴィンチ、小野健一、裾分一弘、久保尋二訳、『マドリッド手稿』、岩波書店、一九七五年。

裾分一弘、『レオナルド・ダ・ヴィンチの『絵画論』攷』、中央公論美術出版、一九七七年。

Leonardo da Vinci, *Il Codice Atlantico della Biblioteca Ambrosiana di Milano,* nella trascrizione critica di Augusto Marinoni, presentazione di Carlo Pedretti, Firenze, Giunti

Gruppo Editoriale, 2000.

＊レオナルドについての総論・概論

Kenneth Clark, *Leonardo da Vinci,* Cambridge University Press, 1939, Penguin Books, 1967.
ケネス・クラーク、丸山修吉、大河内賢治訳、『レオナルド・ダ・ヴィンチ――芸術家としての発展の物語』、叢書ウニベルシタス、法政大学出版局、一九七四年。

Carlo Pedretti, *Leonardo, A Study in Chronology and Style,* Berkeley and Los Angeles, University of California Press, 1973.

田中英道、『レオナルド・ダ・ヴィンチ――芸術と生涯』、新潮社、一九七八年。

Martin Kemp, *Leonardo da Vinci, The Marvellous Works of Nature and Man,* London, J.M. Dent & Sons Ltd., 1981.

Bruno Santi, *Leonardo da Vinci, I Grandi Maestri dell'Arte italiana 18,* Milano, Scala, 1990.
ブルーノ・サンティ、片桐頼継訳、『レオナルド・ダ・ヴィンチ』、東京書籍、一九九三年。

Pietro C. Marani, *Leonardo,* Milano, Electa, 1994.

Carlo Pedretti, André Chastel, Paolo Galluzzi, *Leonardo, Art Dossier 12,* Firenze, Giunti, 1998.

Daniel Arasse, *Leonardo da Vinci, The Rhythm of the World,* Translated from the French by Rosetta Translations, New York, Konecky & Konecky, 1997.

久保尋二、『レオナルド・ダ・ヴィンチ研究――その美術家像』、美術出版社、一九七二年。

＊レオナルドの絵画・素描

Kenneth Clark, *The Drawings of Leonardo da Vinci in The Collection of Her Majesty The Queen at Windsor Castle,* second edition revised with the assistance of Carlo Pedretti, London, Phaidon, 1968.

A.E. Popham, *Les Dessins de Leonard de Vinci,* Bruxelles, Editions de la Connaissance, 1947; *The Drawings of Leonardo da Vinci,* London, Jonathan Cape, 1946・1973.

Carlo Pedretti, *Leonardo,* Bologna, Casa Editrice Capitol, 1979.

Sylvie Béguin, *Léonard de Vinci au Louvre,* Ministère de la Culture, Editions de la Réunion des Musées Nationaux, Paris, 1983.

I cavalli di Leonardo, Studi sul cavallo e altri animali di Leonardo da Vinci dalla Biblioteca Reale nel Castello di Windsor, Catalogo di Carlo Pedretti, Firenze, Giunti Barbèra Editore, 1984.

Pietro C. Marani, *Leonardo, Catalogo completo*, I Gigli dell'Arte, Archivi di arte antica e moderna, Firenze, Cantini Editore, 1989.

Carlo Pedretti, *Leonardo, il Disegno, Art Dossier 67,* Giunti Barbèra Editore, 1992.

Martin Clayton, *Leonardo da Vinci, The Anatomy of Man, Drawings from the Collection of*

Her Majesty Queen Elizabeth II, Catalogue for the Museum of Fine Arts, Houston, Boston, Toronto, London, 1992.

Martin Clayton, *Leonardo da Vinci, a singular vision, Drawings from the Royal Collection at Windsor Castle*, New York, London, Paris, Abbeville Press Publishers, 1996.

Martin Clayton, *Leonardo da Vinci, The divine and the grotesque, The Royal Collection*, London, Royal Collection Enterprises Ltd., 2002.

Léonard de Vinci, Dessins et manuscrits, Catalogue, Musée du Louvre, 5 mai-14 juillet 2003.

裾分一弘、在里寛司、『レオナルド・ダ・ヴィンチ双書　レオナルドと絵画』、岩崎美術社、一九七七年。

片桐頼継監修カタログ、『イタリア・ルネサンス三大巨匠素描展——レオナルド、ミケランジェロ、ラファエロとその流派』、現代彫刻センター、二〇〇二年。

＊幼年期から青年期（フィレンツェ時代）の活動について

Jens Thiis, *Leonardo da Vinci, The Florentine Years of Leonardo and Verrocchio*, London, 1913.

Renzo Cianchi, *Ricerche e Documenti sulla Madre di Leonardo, Notizie inedite*, Firenze, Giunti Barbèra Editore, 1975.

斎藤泰弘、『レオナルド・ダ・ヴィンチの謎——天才の素顔』、岩波書店、一九八七年。

Umberto Baldini, *Un Leonardo Inedito,* Università Internazionale dell'Arte, Firenze, 1992.

＊科学者、建築家、技師、舞台美術家、音楽家等、多彩な活動について

Strenna Utet, *Leonardo, architetto e urbanista,* Torino, 1963.
Kate T. Steinitz, *Leonardo Architetto Teatrale e Organizzatore di Feste, Lettura Vinciana IX,* 1969.
The Unknown Leonardo, McGraw-Hill Book Co., 1974; *Leonardo,* a cura di Ladislao Reti, Arnoldo Mondadori Editore, 1974. 山田智三郎他訳、『知られざるレオナルド』、岩波書店、一九七五年。
Carlo Pedretti, *Leonardo Architetto,* Milano, Electa Editrice, 1981.
Emanuel Winternitz, *Leonardo da Vinci as a Musician,* Yale University Press, 1982. エマニュエル・ヴィンターニッツ、金澤正剛訳、『音楽家レオナルド・ダ・ヴィンチ』、音楽之友社、一九八五年。
Pietro C. Marani, *L'Architettura Fortificata negli Studi di Leonardo da Vinci, con il catalogo completo dei disegni,* Firenze, Leo S. Olschki Editore, 1984.
Pietro C. Marani, *Leonardo, gli ingegneri e alcune macchine lombarde, Lettura Vinciana XXV,* Firenze, 1985.
Prima di Leonardo, cultura delle macchine a Siena nel Rinascimento, a cura di Paolo

Galluzzi, Milano, Electa, 1991.

Leonardo artista delle macchine e cartografo, Catalogo a cura di Rosaria Campioni, presentazione di Carlo Pedretti, Firenze, Giunti Gruppo Editoriale, 1994.

長尾重武、『建築家レオナルド・ダ・ヴィンチ——ルネッサンス期の理想都市像』、中公新書一一〇一、中央公論社、一九九四年。

Otto Letze and Thomas Buchsteiner edit., Catalog for the exhibition, *Leonardo da Vinci, Scientist, Inventor, Artist*, Verlag Gerd Hatje, 1997.

Claudio Pescio edit., *Leonardo, art and science*, Firenze, Giunti Barbèra Editore, 2000.

＊レオナルドを含むルネサンス時代の技師の活動について

Paolo Galluzzi, *Gli ingegneri del Rinascimento da Brunelleschi a Leonardo da Vinci*, Firenze, Istituto e Museo di Storia della Scienza, Giunti Barbèra Editore, 1996.

David Alan Brown, *Leonardo da Vinci, Origins of a Genius*, New Haven and London, Yale University Press, 1998.

＊《最後の晩餐》関係

Ludwig H. Heydenreich, *Leonardo: The Last Supper*, London, Allen Lane, 1974; *Invito a Leonardo: L'Ultima Cena*, prefazione di Carlo Bertelli, Milano, Rusconi Libri, 1982. ルート

ヴィッヒ・H・ハイデンライヒ、生田圓訳、『アート・イン・コンテクスト3、レオナルド　最後の晩餐』、みすず書房、一九七九年。

Leonardo, Studi per il Cenacolo, dalla Biblioteca Reale nel Castello di Windsor, Catalogo di Carlo Pedretti, Introduzione di Kenneth Clark, Milano, Electa Editore, 1983.

Leonardo el'incisione, Stampe derivate da Leonardo e Bramante dal XV al XIX secolo, a cura di Clelia Alberici, Milano, Electa, 1984.

Janice Shell, David Alan Brown, Pinin Brambilla Barcilon, *Giampietrino e Una Copia Cinquecentesca dell'Ultima Cena di Leonardo,* Quaderni del Restauro 4, a cura di Renzo Zorzi, Milano, Olivetti, 1988.

Marco Rossi, Alessandro Rovetta, *Il Cenacolo di Leonardo, Cultura domenicana, iconografia eucaristica e tradizione lombarda,* Quaderni del Restauro 5, a cura di Renzo Zorzi, Milano, Olivetti, 1988.

Pinin Brambilla Barcilon, Pietro C. Marani, *Le Lunette di Leonardo nel Refettorio delle Grazie,* Quaderni del Restauro 7, a cura di Renzo Zorzi, Milano, Olivetti, 1990.

Pietro C. Marani, *Il Cenacolo di Leonardo e i Suoi Restauri nella Milano fra il XV e il XX secolo fra arte e fede, propaganda politica e magnificenza civile,* Firenze, Leo S. Olschki Editore, 1997.

Carlo Pedretti, *Leonardo, il Cenacolo, Art Dossier 146,* a cura di Carlo Pedretti, Firenze,

Giunti Barbèra Editore, 1999.
Pinin Brambilla Barcilon, Pietro C. Marani, *Leonardo, l'Ultima Cena,* Milano, Electa, 1999.
片桐頼継、『レオナルド・ダ・ヴィンチ　復活『最後の晩餐』』、ショトル・ミュージアム、小学館、一九九九年。
片桐頼継＋アメリア・アレナス、『よみがえる最後の晩餐』、日本放送出版協会、二〇〇〇年。
片桐頼継、「レオナルドの《最後の晩餐》」、『イタリア・ルネサンス美術論——プロト・ルネサンス美術からバロック美術へ』、東京堂出版、二〇〇〇年。

＊ミラノ時代およびそれ以降の活動について

Carlo Pedretti, *Leonardo da Vinci Inedito, Tre Saggi,* Firenze, Giunti Barbèra Editore, 1968.
Giulia Bologna, *Leonardo a Milano, documenti d'Arte,* Novara, Istituto Geografico de Agostini, 1982.
Alessandro Vezzosi, *Leonardo dopo Milano, La Madonna dei fusi (1501),* Catalogo, Città di Vinci, Castello dei Conti Guidi, Giunti Barbèra Editore, 1982.
Pietro C. Marani, *Leonardo e i Leonardeschi a Brera,* Firenze, Cantini Edizioni d'Arte, 1987.
I Leonardeschi a Milano: fortuna e collezionismo, a cura di Maria Teresa Fiorio, Pietro C. Marani, Milano, Electa, 1991.
久保尋二、『宮廷人レオナルド・ダ・ヴィンチ』、平凡社、一九九九年。

＊特殊研究

Irma A. Richter, *Paragone, a comparison of the arts by Leonardo da Vinci*, Oxford University Press, 1949.

Piero Sanpaolesi, *L'Adorazione dei Magi, Leonardo, saggi e ricerche*, Roma, Istituto Poligrafico dello Stato, 1954.

Carlo Maccagni, *Riconsiderando il Problema delle Fonti di Leonardo: l'elenco di libri ai fogli 2 verso-3 recto del Codice 8936 della Biblioteca Nacional di Madrid, Lettura Vinciana X*, Firenze, Giunti Barbèra Editore, 1970.

片桐頼継、「レオナルド作「三博士礼拝」図の制作過程に関する試論」、『美学』１５２号、一九八八年。

片桐頼継、「レオナルド作「三博士礼拝」図の背景について」、武蔵野美術大学研究紀要№22、一九九一年。

A. Richard Turner, *Inventing Leonardo*, Berkeley and Los Angeles, University of California Press, 1992. Ａ・リチャード・ターナー、友利修訳、『レオナルド神話を創る——「万能の天才」とヨーロッパ精神』、白揚社、一九九七年。

Roberto Paolo Ciardi, *L'immagine di Leonardo, Lettura Vinciana XXXIII*, Firenze, 1993.

＊レオナルド以外の美術家について

摩寿意善郎編、『世界の美術館 一六 ウフィツィ美術館』、講談社、一九六七年。
Rab Hatfield, *Botticelli's Uffizi "Adoration," A Study in Pictorial Content*, Princeton University Press, 1976.
Umberto Baldini, *Primavera, The Restoration of Botticelli's Masterpiece*, Milano, Arnoldo Mondadori Editore, 1986.
Annarita Paolieri, *Paolo Uccello, Domenico Veneziano, Andrea del Castagno*, Scala, 1991.
Gli Uffizi, Studi e Ricerche, 10, Firenze, Centro Di, 1992.
Padova, la cappella degli scrovegni, Giotto, Venezia, Edizioni Storti, 1986-88.
Ronald Lightbown, *Botticelli, Life and Work*, Cross River Press, 1989. ロナルド・ライトボーン、森田義之・小林もり子訳、『ボッティチェリ』、西村書店、一九九六年。
関根秀一、「ボッティチェルリの《三王礼拝》の肖像の問題（I）（II）」、早稲田大学美術史学会『美術史研究』第二五・二七冊、一九八七年・一九八九年。
Margaret Aston edit., *The Panorama of the Renaissance*, London, Thames and Hudson, 1996. マーガレット・アストン編、樺山紘一監訳、『ルネサンス百科事典』、三省堂、一九九八年。
プリニウス、中野定雄・中野里美・中野美代訳、『プリニウスの博物誌』、雄山閣、一九八六年。

図版目録（特記のないものはレオナルド作）

図1-9　《東方三博士の礼拝》、背景に描かれた厩

図1-10　廃墟の平面図、ペドレッティによる

図1-11　《東方三博士の礼拝》構図習作、金属筆、ペンとインク、二八・五×二一・五cm、パリ、ルーヴル美術館

図1-12　《岩窟の聖母》、一四八三—八五年頃、油彩、板、一九八×一二三cm、ルーヴル美術館

図1-13　《東方三博士の礼拝》、馬の頭部の比較

図1-14　消失点の図示、サンパオレージによる

図1-15　消失点の写真、筆者撮影

図1-16　仮想図、筆者による

図1-17　《東方三博士の礼拝》背景素描、金属筆、ペンとインク、一六・五×二九cm、ウフィツィ美術館

図1-18　《東方三博士の礼拝》と同背景素描、廃墟の階段の比較

図1-19　《東方三博士の礼拝》と同背景素描、合成画像、筆者による

図1-20　ジョット、《東方三博士の礼拝》、一三〇四—〇六年頃、フレスコ、二〇〇×一八五cm、パドヴァ、スクロヴェーニ礼拝堂

図1-21　《東方三博士の礼拝》、背景に描かれた象

図1-22　《東方三博士の礼拝》、二〇一二—一七年に行われた修復後のもの

図2-1　馬の頭蓋骨形の楽器スケッチ、一四九二年頃、ペンとインク、二七×一七・五cm、パ

リ、フランス学士院、アシュバーナム手稿II、二〇三七紙葉
図2-2　《受胎告知》、一四七五年頃、油彩、板、九八×二一七cm、ウフィツィ美術館
図2-3　《聖ヒエロニムス》、一四八〇年頃、油彩、板、一〇三×七五cm、ローマ、ヴァティカン美術館
図2-4　女性の髪型の素描、(左) 銀筆、三三×二〇cm、ウィンザー王室図書館、一二五〇五紙葉。(中央・右) ペンとインク、四〇・五×二九cm、ウィンザー王室図書館、一二三七六紙葉
図2-5　二頭立て戦車の素描、(上) 一四八五—八八年頃、ペンとインク、水彩、一七・三×二四・六cm、ロンドン、大英博物館。(下) 一四八五—八八年頃、ペンとインク、水彩、二〇×二八cm、トリノ、王立図書館
図2-6　戦車 (装甲車) のスケッチ、図2-5 (上) と同紙葉
図2-7　機関銃のスケッチ、一四八二年頃、ペンとインク、二六・五×一八・五cm、ミラノ、アンブロジアーナ図書館、アトランティコ手稿、一五七紙葉表
図2-8　投石機のスケッチ、一四八五—八八年頃、ペンとインク、水彩、アンブロジアーナ図書館、アトランティコ手稿、五三紙葉表b
図2-9　投石機のスケッチ、一四八五—八八年頃、ペンとインク、水彩、アンブロジアーナ図書館、アトランティコ手稿、一四七a紙葉裏
図2-10　自動車のスケッチ、一四七八—八〇年頃、ペンとインク、アンブロジアーナ図書館、アトランティコ手稿、八〇二紙葉表

図2-11　自動車の復元模型、Leonardo da Vinci, Scientist Inventor Artist 展（1999）より

図3-1　衣装デザイン・スケッチ、（左）黒チョーク、一八・四×一二・七㎝、ウィンザー王室図書館、一二五七三紙葉表。（中央）黒チョーク、二一・五×一一・二㎝、ウィンザー王室図書館、一二五七六紙葉。（右）黒チョーク、ペンとインク、ウィンザー王室図書館、一二五七四紙葉

図3-2　ブルネッレスキの舞台（想像復元）、シュタイニッツより

図3-3　舞台装置のスケッチとメモ、『ダナエ』のためのデザイン、ニューヨーク、メトロポリタン美術館

図3-4　舞台装置と機械部品のスケッチ、一四九六年頃、ペンとインク、アンブロジアーナ図書館、アトランティコ手稿、三五八紙葉裏b

図3-5　からくり舞台のスケッチ、大英博物館、アランデル手稿、二二四紙葉表。想像復元模型、ペドレッティによる

図3-6　からくり舞台のスケッチ、大英博物館、アランデル手稿、二三一紙葉

図3-7　レオナルドもしくは弟子、《音楽家の肖像》、一四八五―九〇年頃、油彩、板、四三×三一㎝、アンブロジアーナ図書館

図3-8　楽譜（判じ絵の一部）、一四八七―九〇年頃、ペンとインク、三三×二五・三㎝、ウィンザー王室図書館、一二六九二紙葉裏

図3-9　自動楽器のスケッチ、アンブロジアーナ図書館、アトランティコ手稿、五八六（旧二一

八）紙葉表

図3-10　フランチェスコ騎馬像のためのスケッチ、銀筆、青色の下塗り、一四・八×一八・五cm、ウィンザー王室図書館、一二三五八紙葉

図3-11　作者不明、《マルクス・アウレリウス騎馬像》、一六一―一八〇年、ブロンズ、人馬の高さ四二四cm、ローマ、カピトリーノ美術館

図3-12　ドナテッロ、《ガッタメラータ騎馬像》、一四四七―五三年、ブロンズ、人馬の高さ三二〇cm、パドヴァ、サンタントニオ聖堂広場

図3-13　ヴェロッキオ、《コッレオーニ騎馬像》、一四七九―八八年、ブロンズ、人馬の高さ四〇〇cm、ヴェネツィア、サンティッシミ・ジョヴァンニ・エ・パオロ聖堂広場

図3-14　「竜と戦う聖ゲオルギウス」の素描、銀筆、八・八×一三・八cm、オックスフォード、アシュモリーン美術館

図3-15　《東方三博士の礼拝》に描かれた騎馬、図1-7の部分

図3-16　馬の鋳造法に関するスケッチ、ペンとインク、マドリッド国立図書館、マドリッド手稿Ⅱ、一四一紙葉表

図4-1　《最後の晩餐》、一四九五―九七／九八年、テンペラ、四六〇×八八〇cm、ミラノ、サンタ・マリア・デッレ・グラツィエ修道院食堂

図4-2　カスターニョ、《最後の晩餐》、一四四七年、フレスコ、四七〇×九七五cm、フィレンツェ、サンタポローニア修道院食堂（現カスターニョ美術館）

あとがき

すでに序章で述べたように、私が常に抱いている疑問は、はたしてレオナルドは本当に宮廷において「万能の天才」として活躍していたのかという点である。神話化・偶像化されたレオナルドから虚像を剝ぎ取り、その実像を見極めようという試みはすでに、そして近年とみに行われてきている。素顔のレオナルドに迫ろうというわけである。だが、それによってレオナルドが天才であることを疑う者はいない。問題はどこまでが神話で、どこまでが真実かである。その疑問を晴らすために、レオナルドが実際にどのような活動をし、どのように生きたのかについて考えなければならない。

レオナルドが残した手稿すなわちノートやスケッチは、その約四分の一が現存していると考えられている。それでも五〇〇〇頁にのぼる量である。そしてヨーロッパ各地の図書館に保管されるそれらの手稿は、すでに活字に起こされ、読解がなされた。日本では、裾分一弘学習院大学名誉教授をはじめとする主要なレオナルド研究者らによって翻訳されている。今後レオナルド研究を行っていく者にとって最も拠り所となる第一次資料である。レオナルドの文章はじつに読みにくく、すでに詳細な解読が行われてきているが、なおその作業は続けられることになろう。

こうした資料に基づき、レオナルドの人格形成の過程に迫る研究も行われてきた。たとえば日本におけるレオナルド研究の分野では、田中英道氏の『レオナルド・ダ・ヴィンチ――芸術と生涯』（一九七八年）が、いちはやくレオナルドの複雑な性意識について分析し、さらにフィレンツェ時代の若きレオナルドにボッティチェッリが与えた影響の大きさについてもすでに指摘している。また、斎藤泰弘氏の『レオナルド・ダ・ヴィンチの謎』（一九八七年）は、レオナルドの幼少期から青年期に焦点を当て、彼の屈折した性格について考察している。そして久保尋二氏の『宮廷人レオナルド・ダ・ヴィンチ』（一九九九年）は、ミラノでのレオナルドの活動ぶりについて詳細に扱っている。多芸なレオナルドをある種魔術師のような人物とする見方は、じつに新鮮である。私は本書の執筆にあたって、こうした先達から大いに刺激と教示を受けている。

さて、本書ではレオナルドの発明品に対してかなり厳しい批判をしており、そのうえでこう述べるのも妙だが、やはりレオナルドが天才であることは間違いないだろう。天才として現在知られている著名な科学者や芸術家たちの特徴と比較してみると、レオナルドはその類型によく当てはまる。孤独な少年時代と内向的あるいは秘密主義的な性格、数学や幾何学の研究、というよりある種のゲームへの熱中、言葉よりもむしろスケッチや図など視覚的な言語による論述、イメージの連想や類推による柔軟な思考、社会的な責務や人間関係の維持などへの不適合など、いずれも天才の徴候に満ちている。

ところが、たとえばヴァザーリなどが伝えるところによれば、レオナルドは雄弁で、絵筆よりむしろ言葉で仕事をした人物であり、上品で優雅に振る舞うなど、他人とのコミュニケーションもそつなくこなし、およそ天才にありがちな性格的偏向などは見られない。いったいどちらが本当のレオナルドなのだろうか。とにかくレオナルドの人格や才能、言動については、矛盾が多く、じつにつかみどころがないのである。彼について知れば知るほど謎は深まるばかりといってよい。

さて、レオナルドの手稿という第一次資料の解読が進む一方で、レオナルドの周辺に関する研究も盛んになってきている。それによって、レオナルドのノートやスケッチに示されている技術工学関係の項目が、かならずしもレオナルドの発明が最初ではなく、同時代あるいはそれ以前にすでにその原型がある場合も少なくないことが明らかになってきた。かつてのレオナルドに始まる近代進歩主義という歴史観はゆらぎ、素朴な意味でのレオナルド信奉者にとっては、これこそまさに偶像破壊といえる事態である。だが、むしろこうした事実が明らかになることによって、いわばルネサンス時代の科学の地平が広がったといえる。

近代に入ってレオナルドの多才が注目されはじめた頃には、レオナルドが孤高の天才であるという見方もあった。すなわち、レオナルドが一職人としてしか扱われなかったため、自らの発想や仮説をノートに書きとめたが、それらの大半が彼の死後に埋もれてしまったために、彼の研究成果が同時代人に公表されることも理解されることもなく、近代科学の発展史から置き去りにされてしまった、という見方である。彼の科学研究が次世代に伝わらず、結果として彼は近代科学の発展に寄与せずに終わったとされていたのである。

　こうしてレオナルドは近代科学の隠れた真の祖となり、近代の科学理論や工学機器の多くが彼に帰せられる傾向すらあった。たとえばその最たるものは自転車で、かつて「アトランティコ手稿」の中から自転車のスケッチが見つかったことから、レオナルドが自転車の発明者ではないかと騒がれたことがあった（一九七四年）。それまで技術史的には、一九世紀初頭に現れたハンドルもペダルもチェーンもないタイプが原型とされており、チェーンが使用されるのはようやく一九〇〇年頃のことだった。ところがレオナルドのスケッチにはそれらすべての部品がそろっており、そうなると彼の発明は現在のようなタイプの自転車の起源を一気に四〇〇年あまりも早めることになるのである。

　しかし、このスケッチは素描としてあまりに稚拙で、およそレオナルドのものとは思われないとの反論も出され、それに対して、これはレオナルドの不肖の弟子サライが師のスケッチを模したものであり、いずれにせよレオナルドはすでにこのような自転車を考案していたにちがいない、といった弁明もなされた。

この自転車の起源がいつどこで始まったかについては、すでにフランスとドイツの間で本家争いがあり、そこにイタリア起源説が登場したために、レオナルドが自転車の発明者か否かという問題は、ナショナリスティックな感情まで刺激する大論争に発展したのである。

結局この論争は、決着のつかぬままやがて鎮火することになるが、やはりレオナルドの自転車のメカニズムは、技術の開発や改良の過程を考えるとき、あまりに唐突な出現であること、また、ほかに類似のノートやメモなどがまったく見当たらないこと、それにこのスケッチが弟子サライの手になるという確証はなく、どうしても近年の小学生の落書き程度にしか見えないことなど、もろもろの理由から、現在ではレオナルドの自転車起源説を支持する研究者はほとんどいないようである。実際、ミラノのレオナルド・ダ・ヴィンチ科学博物館には、以前はこの自転車の復元模型が展示されていたが、現在は展示からはずされている。ただ、小型の模型は土産物としてミュージアム・ショップなどでいまも売られている。

この自転車の話はいささか余談だが、しかし知られざる天才レオナルドという神話が出来上がる過程においては、じつに象徴的な事件だった。

レオナルドは決して孤高の科学者ではなかった。彼の生涯の活動についてはこれまで直接・間接の記録によって明らかにされてきており、それによれば、彼が決して単なる画家としてのみ活動していたわけではなく、むしろ当時の技術工学や建築土木あるいは軍事関係の分野に深く携わっており、実際に技師として多方面で活動していたことが分かってきたのである。

だが、彼がそうした当時の技術工学事業にどの程度参画していたかについては、いまだ不明な点が多い。本文で述べたように、はたしてレオナルドが第一線の土木技師・軍事技師として活躍し、彼のアイディアがどの程度採用され、実現されていたかについてはまだまだ疑問が残るのである。

彼の発想があまりに飛躍的で、当時の技術水準をはるかに超えていたため、それらを実現しようにも、技術がそれに追いつかなかったのだ、という見方もある。たとえば、レオナルドのノートの中には、「月を見る眼鏡をつくれ」というメモがあり、これは彼が天体望遠鏡をつくろうとしていたことを示唆するものだと受け取られたことがある。そこには、近代科学の祖ガリレオより一〇〇年も先行する天才を描こうとする姿が見え隠れする。レオナルドの時代にはまだ凹レンズがなかったため、凸レンズと凹レンズを組み合わせた焦点距離の長い望遠鏡の開発はガリレオをまつほかなかったということである。

ただし、はたしてレオナルドが望遠鏡の開発における凹レンズの必要性に気付いていたかどうかは疑問である。単にはるか遠くを見ることのできる眼鏡という発想だけならば、ガリレオはもとより、レオナルド以前にもそのようなことを夢想した者がいたとしても不思議ではない。たとえば人工的な翼で人間が空を飛ぶという発想などは、すでにギリシア神話にも登場しているのである。

だが、たとえレオナルドの科学研究のすべてがかならずしもオリジナルでなかったにせよ、これほど広範な分野に手を染め、しかも膨大かつ詳細なスケッチやノートを残していること自体すでに超人的であり、その時点ですでにレオナルドの並外れた才能を疑う余地はないだろう。

もっとも、すでにミケランジェロを見て明らかなように、多方面での才能と並外れた精神と肉体によって、ある意味ではレオナルドを凌ぐ活躍をした人物は、まだまだいそうなのである。最近の研究によってようやく、ルネサンス時代の科学技術の状況や技師たちの活動について知られるようになってきた。しかし、そのような事態は決して万能の人レオナルドの地位を危うくするものではなく、むしろレオナルドという傑物が誕生した秘密を知るための手がかりになるはずである。

そしてそれは、傑物が続々と生まれ活躍した、ルネサンスという時代を知ることにつながる。レオナルドだけがとりわけ傑出した、特異な存在だったわけではないのである。そうしたイメージは、レオナルドこそ、ルネサンスという時代に生きながら、時代のはるか先を歩きはじめてしまった超人であるという神話が生み出した偶像である。レオナルドはルネサンスという時代の出口からひとり早々に出ていった人物ではなく、むしろ私たち現代人にとってレオナルドは、ルネサンスという時代を知るための最も近くて大きな入口なのである。

本書では、とにかくまずその入口から入り、レオナルドの実像に迫るために、素描という新時代の技術と表現形式をもっていわばイメージ・クリエーターとして生きたレオナルドに焦点を当て、史上まれにみるファンタジスタとしてのレオナルド像を提示してみた。これによってレオナルドとルネサンスという時代を理解するための一つの見方を打ち出すことになれば幸いである。

本書の執筆に際しては、私の勉強不足もさることながら、史実の隙間を埋めるのにかなり恣意的な解釈を行っている点もあることは否めない。レオナルドという巨像に立ち向かうには、あえて脇から回り込んで新たな切り口を探る必要もあるとの思いからだが、それについては厳しい批判を仰ぐことも必須であり、読者の方々からのご教唆を賜りたい。

最後に、本書の中でレオナルドの遅筆を云々しつつも、わが身を棚に上げて完成が遅れ、本書の企画・編集を担当してくださった角川学芸出版の大蔵敏氏にご迷惑をおかけし、またたいへんお世話になったことに対し、ここにお詫びと感謝の意を表したい。

二〇〇三年一一月二二日

片桐頼継

本書の原本は、二〇〇三年に角川書店より刊行されました。

片桐頼継（かたぎり　よりつぐ）

1957-2006年。岐阜市生まれ。武蔵野美術短期大学美術科卒業。学習院大学大学院美学美術史専攻博士後期課程を満期退学（その間にローマ大学留学）。実践女子大学文学部美学美術史学科教授。専門はイタリア・ルネサンス美術史。著書に『レオナルド・ダ・ヴィンチ復活『最後の晩餐』』,『よみがえる最後の晩餐』（共著）など。

定価はカバーに表示してあります。

レオナルド・ダ・ヴィンチ 伝説と実像と

片桐頼継

2023年10月10日　第1刷発行

発行者　髙橋明男
発行所　株式会社講談社
東京都文京区音羽 2-12-21 〒112-8001
電話　編集（03）5395-3512
販売（03）5395-4415
業務（03）5395-3615
装　幀　蟹江征治
印　刷　株式会社ＫＰＳプロダクツ
製　本　株式会社国宝社
本文データ制作　講談社デジタル製作

ISBN978-4-06-533533-8

「講談社学術文庫」の刊行に当たって

これは、学術をポケットに入れることをモットーとして生まれた文庫である。学術は少年の心を養い、成年の心を満たす。その学術がポケットにはいる形で、万人のものになることは、生涯教育をうたう現代の理想である。

こうした考え方は、学術を巨大な城のように見る世間の常識に反するかもしれない。また、一部の人たちからは、学術の権威をおとすものと非難されるかもしれない。しかし、それはいずれも学術の新しい在り方を解しないものといわざるをえない。

学術は、まず魔術への挑戦から始まった。やがて、いわゆる常識をつぎつぎに改めていった。学術の権威は、幾百年、幾千年にわたる、苦しい戦いの成果である。こうしてきずきあげられた城が、一見して近づきがたいものにうつるのは、そのためである。しかし、学術の権威を、その形の上だけで判断してはならない。その生成のあとをかえりみれば、その根は常に人々の生活の中にあった。学術が大きな力たりうるのはそのためであって、生活をはなれた学術は、どこにもない。

開かれた社会といわれる現代にとって、これはまったく自明である。生活と学術との間に、もし距離があるとすれば、何をおいてもこれを埋めねばならない。もしこの距離が形の上の迷信からきているとすれば、その迷信をうち破らねばならぬ。

学術文庫は、内外の迷信を打破し、学術のために新しい天地をひらく意図をもって生まれた。文庫という小さい形と、学術という壮大な城とが、完全に両立するためには、なおいくらかの時を必要とするであろう。しかし、学術をポケットにした社会が、人間の生活にとってより豊かな社会であることは、たしかである。そうした社会の実現のために、文庫の世界に新しいジャンルを加えることができれば幸いである。

一九七六年六月

野間省一